Le Tartuffe

●

CHRONOLOGIE
PRÉSENTATION
NOTES
DOSSIER
BIBLIOGRAPHIE
LEXIQUE

par Bénédicte Louvat-Molozay

Édition mise à jour en 2008.

GF Flammarion

Du même auteur
dans la même collection

L'AVARE (édition avec dossier).
LE BOURGEOIS GENTILHOMME (édition avec dossier).
DOM JUAN (édition avec dossier).
L'ÉCOLE DES FEMMES. LA CRITIQUE DE L'ÉCOLE DES FEMMES (édition avec dossier).
LE MISANTHROPE (édition avec dossier, précédée d'une interview de Mathieu Lindon).
ŒUVRES COMPLÈTES 1 : *La Jalousie du barbouillé. Le Médecin volant. L'Étourdi ou les Contretemps. Le Dépit amoureux. Les Précieuses ridicules. Sganarelle. Dom Garcie de Navarre. L'École des maris. Les Fâcheux.*
ŒUVRES COMPLÈTES 2 : *L'École des femmes. La Critique de l'École des femmes. L'Impromptu de Versailles. Le Mariage forcé. La Princesse d'Élide. Le Tartuffe. Dom Juan. L'Amour médecin.*
ŒUVRES COMPLÈTES 3 : *Le Misanthrope. Le Médecin malgré lui. Mélicerte. Pastorale comique. Le Sicilien ou l'Amour peintre. Amphitryon. George Dandin. L'Avare. Monsieur de Pourceaugnac.*
ŒUVRES COMPLÈTES 4 : *Les Amants magnifiques. Le Bourgeois gentilhomme. Psyché. Les Fourberies de Scapin. La Comtesse d'Escarbagnas. Les Femmes savantes. Le Malade imaginaire. Poésies.*

Édition mise à jour en 2008.
ISBN : 978-2-0814-1596-6

SOMMAIRE

CHRONOLOGIE

	REPÈRES HISTORIQUES ET CULTURELS	VIE ET ŒUVRES DE MOLIÈRE
1610	Avènement de Louis XIII. Début de la régence de Marie de Médicis.	
1622	Paix de Montpellier avec les protestants.	(15 janvier) Baptême à l'église Saint-Eustache de Jean-Baptiste Poquelin, fils de Jean Poquelin, marchand tapissier.
1624	Début du ministère de Richelieu.	
1627	Fondation de la Compagnie du Saint-Sacrement de l'Autel.	
1629-1634	Premières comédies de Corneille.	
1632		Mort de la mère de Jean-Baptiste.
1635	Fondation de l'Académie française.	Jean-Baptiste Poquelin entre au collège de Clermont (actuel lycée Louis-le-Grand).
1637	*Le Cid* de Corneille. *Le Discours de la méthode* de Descartes.	
1640	Parution de l'*Augustinus* de Jansénius.	Études de droit à Orléans.
1642	Révolution en Angleterre. Mort de Richelieu. *Cinna* de Corneille.	

1643	Mort de Louis XIII. Début de la régence d'Anne d'Autriche.	Jean-Baptiste renonce à la charge paternelle de tapissier du roi. Fondation de l'Illustre-Théâtre avec la famille Béjart.
1644		Première apparition du nom de Molière.
1645		Faillite de l'Illustre-Théâtre et départ pour la province (ouest et sud de la France).
1646		Fusion avec la troupe de Charles Dufresne, protégée par le duc d'Épernon.
1648	Traité de Westphalie. Début de la Fronde.	
1650	Mort de Descartes.	
1652		La troupe est protégée par le prince de Conti, prince du sang et frère du Grand Condé.
1653	Retour de Mazarin. Fin de la Fronde.	Création à Lyon de *L'Étourdi*, la première comédie de Molière.
1655	Négociations avec Cromwell en vue d'une alliance franco-anglaise contre l'Espagne.	
1656		*Le Dépit amoureux* est joué à Béziers.
1656-1657	Parution des *Provinciales* de Pascal.	

	REPÈRES HISTORIQUES ET CULTURELS	VIE ET ŒUVRES DE MOLIÈRE
1657		Conti retire son patronage.
1658	Mort de Cromwell.	(printemps) Séjour de la troupe à Rouen et rencontre avec Corneille. (octobre) Arrivée à Paris. Monsieur, frère du roi, accorde sa protection à la troupe ; le roi lui offre la salle du Petit-Bourbon, qu'elle devra partager avec les Comédiens-Italiens.
1659	Paix des Pyrénées (l'Espagne cède à la France l'Artois et le Roussillon).	Départ des Italiens. *Les Précieuses ridicules.*
1660	Mariage de Louis XIV et de Marie-Thérèse. Restauration des Stuarts. Plusieurs documents dénoncent les méthodes utilisées par la Compagnie du Saint-Sacrement ; le 13 décembre, un arrêt du Parlement interdit les sociétés secrètes.	*Sganarelle ou le Cocu imaginaire.* Démolition de la salle du Petit-Bourbon. La troupe est relogée dans la salle du Palais-Royal.
1661	Mort de Mazarin. Début du règne personnel de Louis XIV. Disgrâce de Fouquet. Colbert est nommé au Conseil ; Lully obtient la charge de surintendant de la musique du roi ; Le Vau commence les travaux à Versailles.	Échec de *Dom Garcie de Navarre*, comédie héroïque ; *L'École des maris* (Palais-Royal) ; création à Vaux-le-Vicomte des *Fâcheux*, première comédie-ballet de Molière.
1662	Mort de Pascal.	Mariage de Molière avec Armande Béjart.

		L'École des femmes (Palais-Royal). Premier séjour de la troupe à la Cour.
1663		Querelle de *L'École des femmes. La Critique de l'École des femmes* (Palais-Royal) et *L'Impromptu de Versailles* (Versailles).
1664	Création de la Compagnie des Indes. Condamnation de Fouquet après quatre ans de procès. Représentation par les Comédiens-Italiens de *Scaramouche ermite.*	*Le Mariage forcé*, comédie-ballet (Louvre). Début de l'association avec Lully pour la comédie-ballet. Baptême de Louis, premier fils de Molière, qui a pour parrain le roi. (mai) Fêtes des « Plaisirs de l'île enchantée » à Versailles. Le 8, Molière donne *La Princesse d'Élide*, comédie-ballet galante, et le 12 la première version du *Tartuffe*, en trois actes. La pièce est interdite. La troupe crée *La Thébaïde* de Racine. (août) Premier placet au roi. (novembre) *Le Tartuffe* comporte cinq actes.
1665	Colbert devient contrôleur général des Finances. Mort de Philippe IV d'Espagne et préparation de la guerre de Dévolution. Le *Traité de la comédie* de Pierre Nicole paraît pour la première fois avec *Les Imaginaires.*	*Dom Juan* (Palais-Royal) puis querelle de *Dom Juan*. La troupe devient « Troupe du roi ». *L'Amour médecin* (Versailles). Brouille avec Racine, qui confie *Alexandre* à la troupe rivale de l'Hôtel de Bourgogne.

CHRONOLOGIE

	REPÈRES HISTORIQUES ET CULTURELS	VIE ET ŒUVRES DE MOLIÈRE
1666	Mort d'Anne d'Autriche. Alliance avec la Hollande contre l'Angleterre (guerre franco-anglaise). Abbé d'Aubignac, *Dissertation sur la condamnation des théâtres.* Parution du *Traité de la comédie et des spectacles* du prince de Conti.	Molière est gravement malade. *Le Misanthrope* (Palais-Royal), *Le Médecin malgré lui* (Palais-Royal), *Mélicerte*, comédie-ballet (Saint-Germain).
1667	Début de la guerre de Dévolution : conquête de la Flandre. *Andromaque* de Racine.	*La Pastorale comique* et *Le Sicilien ou l'Amour peintre*, comédies-ballets (Saint-Germain). (5 août) Unique représentation de *L'Imposteur*, version remaniée du *Tartuffe.* Nouvelle interdiction, prononcée par le premier président Lamoignon. Deuxième placet au roi, qui dirige ses armées en Flandre. Publication de la *Lettre sur la comédie de L'Imposteur*, anonyme.
1668	Les traités de Saint-Germain et d'Aix-la-Chapelle mettent fin à la guerre de Dévolution. La Flandre est annexée. Six premiers livres des *Fables* de La Fontaine.	*Amphitryon* (Palais-Royal). (13 janvier) Représentation privée du *Tartuffe* chez le prince de Condé. *George Dandin* (Versailles) ; *L'Avare* (Palais-Royal).

1669		(5 février) Première représentation du *Tartuffe* enfin autorisé. Troisième placet au roi. La pièce est jouée chez la reine le 21 février et à Saint-Germain le 3 août. Mort du père de Molière. *Monsieur de Pourceaugnac*, comédie-ballet (Chambord).
1670	Mort d'Henriette d'Angleterre, épouse de Monsieur, frère du roi. *Élomire hypocondre* de Le Boulanger de Chalussay, pamphlet injurieux écrit contre Molière.	*Les Amants magnifiques*, comédie-ballet (Saint-Germain), *Le Bourgeois gentilhomme*, comédie-ballet (Chambord).
1671		*Psyché*, tragédie-ballet à machines (Tuileries). *Les Fourberies de Scapin* (Palais-Royal). *La Comtesse d'Escarbagnas*, comédie-ballet (Saint-Germain).
1672		Mort de Madeleine Béjart. Rupture avec Lully. *Les Femmes savantes* (Palais-Royal).
1672-1673	Guerre franco-hollandaise.	
1673	(27 avril) Création de la première tragédie lyrique française, *Cadmus et Hermione*, de Lully et Quinault.	*Le Malade imaginaire* (musique de Marc Antoine Charpentier), comédie-ballet (Palais-Royal). (17 février) Mort de Molière. Sa troupe est réunie avec celle du Marais, et joue au théâtre Guénégaud.

	REPÈRES HISTORIQUES ET CULTURELS	VIE ET ŒUVRES DE MOLIÈRE
1674	*Suréna*, dernière tragédie de Corneille. *Iphigénie* de Racine et *Alceste*, tragédie lyrique de Lully et Quinault (Versailles).	
1677	*Phèdre* de Racine.	Remariage d'Armande avec le comédien Guérin d'Estrinché.
1680		Création de la Comédie-Française, où sont regroupées les troupes de l'Hôtel de Bourgogne et du théâtre Guénégaud.
1682		Édition des œuvres complètes de Molière.

Présentation

Après cinq jours de divertissements galants, ponctués par la création de *La Princesse d'Élide* et par la reprise des *Fâcheux*, deux comédies-ballets de Molière, les fêtes des « Plaisirs de l'île enchantée » qui se déroulent à Versailles sont troublées le 12 mai 1664 par la représentation du *Tartuffe*, immédiatement interdit par Louis XIV à qui le parti des dévots a forcé la main. Cinq années de luttes et de polémiques, cinq années pendant lesquelles Molière remet son ouvrage sur le métier séparent cette création avortée de la représentation publique, au Palais-Royal, de la pièce définitivement autorisée, le 5 février 1669. Aussi l'histoire du *Tartuffe*, l'histoire du texte et l'histoire de la querelle à laquelle il donna lieu est-elle l'une des étapes les plus importantes de la carrière de Molière.

MOLIÈRE EN 1664 : LA VILLE ET LA COUR

Le Tartuffe est la deuxième « grande comédie » de Molière après *L'École des femmes*, représentée deux ans auparavant, en 1662. Il s'était fait connaître en 1659 avec *Les Précieuses ridicules*, petite comédie en un acte et en prose où il brocardait un phénomène à la fois esthétique et social, et qui avait déclenché la première d'une longue série de polémiques autour de son œuvre.

Quoiqu'elle semble coïncider avec la décennie 1660, la carrière du comédien, chef de troupe et auteur dramatique, avait pourtant commencé bien avant, mais les difficultés matérielles avaient poussé Molière et ses compagnons de l'Illustre-Théâtre à quitter Paris pour le sud de la France.

L'aventure provinciale dura treize années, de 1645 à 1658. Molière avait donc trente-sept ans lorsqu'il commença à connaître le succès à Paris. Ce succès fut alors fulgurant, et lui ouvrit les portes de la Cour : en 1661, le surintendant des Finances Fouquet lui commandait un divertissement pour les fêtes dont il voulait régaler le roi dans son château de Vaux-le-Vicomte ; parce qu'il fallait aussi donner un ballet, et que les danseurs étaient en petit nombre, on décida de représenter en alternance les actes de la comédie et les entrées du ballet. Nés du hasard, *Les Fâcheux* constituent la première comédie-ballet de Molière ; Louis XIV apprécia le divertissement, et fit régulièrement représenter des comédies-ballets à partir précisément de l'année 1664 (*Le Mariage forcé*), où le poète s'associe pour ce faire avec Lully.

En même temps qu'il parvient à se faire aimer du roi, Molière rencontre le succès auprès du public parisien qui vient l'applaudir au théâtre du Palais-Royal, qu'il partage avec les Comédiens-Italiens. Ce public de bourgeois et de gens du peuple veut un comique plus franc, moins galant que celui que Molière offre à la Cour. L'accueil triomphal qu'il réserve à *L'École des femmes* est une manière d'entériner les choix esthétiques de son auteur, pour qui la comédie doit, conformément à sa définition antique, « corriger les mœurs par le rire » (*castigat ridendo mores*). La réussite de la formule moliéresque repose en effet sur une adéquation idéale entre la critique sociale, véritable enjeu de la représentation comique, et les moyens mis en œuvre, que Molière emprunte à des traditions comiques très diverses.

En quelques années, Molière est ainsi devenu l'un des auteurs dramatiques les plus appréciés, et il a réussi ce pari fou : plaire à la fois à la Cour et à la Ville. Installés depuis de longues années à Paris, les comédiens et leurs auteurs attitrés des deux salles concurrentes, l'Hôtel de Bourgogne et le théâtre du Marais, furent piqués au vif : après s'être attaqués aux *Précieuses ridicules*, ils tentèrent de faire tomber *L'École des femmes*. Molière répondit à ses rivaux par deux pièces, *La Critique de l'École des femmes*, créée à Paris, et *L'Impromptu de Versailles*, représenté à la Cour. Dans *La Critique de l'École des femmes*, Molière fixe, par l'intermédiaire du personnage de Dorante, quelques-unes de ses réflexions sur la comédie : genre exigeant, où il faut « entrer [...] dans le ridicule des hommes », afin de « faire rire les honnêtes gens » [1], la comédie est astreinte à une seule et unique règle, celle de plaire [2]. Ce faisant, les véritables juges d'une œuvre dramatique ne sont pas les « pédants » mais le « beau monde », qui n'exerce que son « bon sens naturel » [3].

De *L'École des femmes* au *Tartuffe*, Molière affine la formule dramatique qui fit son succès : il reprend l'opposition entre le couple de jeunes amoureux et le barbon, Mariane et Valère succédant à Agnès et Horace, Arnolphe étant supplanté par Orgon ; il fait de cet opposant le centre de l'œuvre, celui qui, par son caractère ridicule et par sa folie, porte la dimension satirique de la pièce. Mais Molière innove en ajoutant au schéma initial de nouveaux personnages : Elmire, l'épouse d'Orgon, personnage essentiel au déroulement de l'intrigue ; Tartuffe surtout, qui forme avec Orgon un couple inséparable. Il franchit enfin un pas dans la peinture des mœurs dont il s'est fait le spécialiste : après avoir dénoncé, dans *L'École des femmes*, le rigorisme moral incarné par Arnolphe, il s'en prend à la fausse dévotion, c'est-à-dire à un vice moral et social d'une tout autre ampleur. On tient ici la raison de la querelle à laquelle la pièce donna lieu.

LA QUERELLE DU *TARTUFFE*

LES ÉTAPES DE LA QUERELLE

En 1664, Molière était un familier des querelles. Mais celles qu'avaient déclenchées *Les Précieuses ridicules* et *L'École des femmes* étaient de nature essentiellement

1. Molière, *La Critique de l'École des femmes*, in *Œuvres complètes*, vol. 2, éd. G. Mongrédien, GF-Flammarion, 1965, p. 130.

2. « Je voudrais bien savoir si la grande règle de toutes les règles n'est pas de plaire, et si une pièce de théâtre qui a attrapé son but n'a pas suivi un bon chemin », dit Dorante (*ibid.*, p. 132).

3. *Ibid.*, p. 130.

littéraire : c'est moins le message moral délivré dans *L'École des femmes* que le réalisme de la langue et des expressions utilisées ainsi que les sous-entendus grivois qui furent critiqués ; le débat portait en outre sur la structure dramatique, très originale, de cette comédie qui multipliait les récits.

Rien de tel dans la querelle qui fait rage après la représentation du *Tartuffe* en mai 1664. L'enjeu du débat s'est déplacé : de littéraire, il est devenu exclusivement moral et religieux. Les ennemis de Molière ne sont d'ailleurs plus les mêmes, et les poètes et comédiens rivaux ont fait place aux dévots et aux hommes d'Église. Quelles sont les étapes essentielles de l'histoire du *Tartuffe*, de 1664 à 1669 ?

L'interdiction prononcée par le roi en mai 1664 concernait les représentations publiques, c'est-à-dire parisiennes, de la pièce. C'est la raison pour laquelle les années de la querelle furent ponctuées par des lectures et par des représentations privées du *Tartuffe* dans des cours princières [1] et même à la Cour. Dès le mois de juillet 1664, Molière lit son œuvre devant le cardinal Chigi, légat du pape, qui l'approuve. Au mois d'août paraît pourtant le premier texte ouvertement polémique de la querelle, *Le Roi glorieux au monde ou Louis XIV le plus glorieux de tous les rois du monde* du curé Pierre Roullé, qui comprend une section dévolue en partie à la pièce. L'auteur prête à Molière des intentions « diaboliques » et assure qu'il mérite d'être conduit au bûcher comme le dernier des libertins. Molière compose alors le premier « placet au roi », clamant son innocence et la pureté de ses intentions.

La querelle du *Tartuffe* est alors prise dans un débat beaucoup plus vaste sur la moralité du théâtre, débat qu'elle n'a pas fait naître mais qu'elle relance [2] : en 1665 et 1666 paraissent coup sur coup deux traités où le théâtre, et tout particulièrement la comédie, est très sévèrement condamné pour son caractère immoral, le *Traité de la comédie* du

1. En septembre 1664 à Villers-Cotterêts devant Monsieur, frère du roi ; en novembre 1664 puis en novembre 1665 au Raincy devant la princesse Palatine, par ordre du Grand Condé.

2. Voir le chapitre 4 du dossier.

janséniste Pierre Nicole et le *Traité de la comédie et des spectacles* du prince de Conti, l'ancien protecteur de Molière. Or en 1665, ce dernier est l'auteur non seulement du *Tartuffe* mais également de *Dom Juan*, qui présente le portrait – et le châtiment – d'un libertin accompagné par un valet superstitieux, Sganarelle. Nouvelle pièce, nouvelle querelle, ou plutôt ajout d'une nouvelle « pièce » au dossier de l'accusé… Le roi n'abandonne pas son protégé pour autant : au mois d'août 1665, la troupe de Molière devient « Troupe du roi » et reçoit désormais une pension annuelle de 7 000 livres.

La pièce qui avait été présentée en mai 1664 comportait trois actes. Au mois de novembre de la même année, elle en comporte cinq. Le 5 août 1667, c'est une nouvelle version de la pièce qui est représentée au Palais-Royal : elle est intitulée *L'Imposteur*, et son personnage principal a pour nom Panulphe. Le roi est alors absent de Paris et le premier président Lamoignon, homme fort dévot, interdit les représentations suivantes. Molière fait parvenir au roi, par l'intermédiaire de deux de ses comédiens, un deuxième placet dans lequel il se plaint de la rigueur de cette décision. Le renouvellement de l'interdiction n'empêche pas la poursuite des représentations privées, et il est même fort probable qu'il la relance : au mois de janvier 1668, Molière donne sa pièce chez le Grand Condé, prince du sang bien connu pour son libertinage, qui n'a pas cessé, durant ces années de lutte, de soutenir la pièce et son auteur.

Un an après, l'interdiction prononcée par l'archevêque de Paris est levée et, le 5 février 1669, Molière remporte un très grand succès au Palais-Royal. Il interprète lui-même le rôle d'Orgon et confie celui de Tartuffe à Du Croisy. Madeleine Béjart, sa vieille amie, joue la servante Dorine ; Armande, l'épouse de Molière, interprète Elmire ; le jeune premier Valère, enfin, est pris en charge par La Grange.

Les causes de la querelle

Que reprochait-on à Molière et qui étaient ses ennemis ? Lorsqu'elle fut représentée le 12 mai 1664, la pièce avait déjà fait parler d'elle : un mois auparavant, la Compagnie du Saint-Sacrement de l'Autel, société secrète qui réunissait des rigoristes religieux et laïques, ayant été alertée, avait demandé à ses membres de tout mettre en œuvre pour en empêcher la représentation. Ils reprochaient en effet à Molière, qui détournait déjà, selon eux, le roi et la jeune Cour des vertus chrétiennes en leur offrant des pièces légères qui faisaient l'apologie de la jeunesse et de l'amour, de poursuivre son entreprise en s'attaquant cette fois à la religion. Mais Molière – et ses ennemis le savaient – ne critiquait pas, en réalité, la religion mais bien la fausse dévotion, voire les excès de la bigoterie, et il dénonçait ce faisant une pratique politique, celle de ces sociétés secrètes qui tentaient de s'attacher le roi en réformant sa conduite [1].

La querelle du *Tartuffe* est donc une querelle à la fois morale et politique, la morale servant parfois de masque à la politique. En effet, si certains des protagonistes du débat sont honnêtes et appuient leur condamnation sur une foi solide, et surtout sur l'idée que le théâtre est en soi condamnable, à plus forte raison quand il s'attache à la religion, nombreux sont ceux qui condamnent la pièce parce qu'ils s'y voient trop fidèlement peints. Ceux-là sont précisément les membres de la Compagnie du Saint-Sacrement et d'autres sociétés secrètes tout aussi puissantes qui parviennent à entraîner même de véritables dévots. C'est ce qu'indique Molière dans sa préface :

> Je me soucierais fort peu de tout ce qu'ils [les hypocrites] peuvent dire, n'était l'artifice qu'ils ont de me faire des ennemis que je respecte, et de jeter dans leur parti de véritables gens de bien, dont ils préviennent la bonne foi, et qui, par la chaleur qu'ils ont pour les intérêts du ciel, sont faciles à recevoir les impressions qu'on veut leur donner [2].

Il reste à comprendre quelles furent les intentions de Molière ou tout au moins ce qu'en laissent apparaître les structures dramatiques de l'œuvre, ainsi que l'histoire du texte et de ses strates.

---

1. Voir le chapitre 3 du dossier.
2. Préface, p. 30.

LES TROIS VERSIONS

Il n'y eut pas un mais trois *Tartuffe* : celui de mai 1664, achevé ou augmenté au mois de novembre ; celui de 1667 et celui, enfin, de 1669. Seule la dernière version du texte a été imprimée, mais l'on peut se faire une idée précise de ce que fut la version de 1667 par l'anonyme *Lettre sur la comédie de L'Imposteur* publiée peu de temps après l'unique représentation du 5 août 1667. Cette dernière laisse à penser que les modifications survenues entre 1667 et 1669 furent minimes. Les changements majeurs ont été faits avant, soit entre 1664 et 1667 : il semble que le premier Tartuffe ait été vêtu comme un dévot austère, voire comme un ecclésiastique (grand chapeau, cheveux courts, petit collet, habit sans dentelles, absence d'épée) ; le Panulphe de *L'Imposteur*, au contraire, est habillé « en homme du monde ». Molière justifie ces changements dans le second placet qu'il fait porter au roi :

> En vain [...] [j'ai] déguisé le personnage sous l'ajustement d'un homme du monde ; j'ai eu beau lui donner un petit chapeau, de grands cheveux, un grand collet, une épée, et des dentelles sur tout l'habit, [...] tout cela n'a de rien servi [1].

La transformation vestimentaire indique un adoucissement dans la critique : Molière vise désormais explicitement les faux dévots laïques et il a neutralisé toutes les ambiguïtés d'interprétation. Cette modification dans l'apparence extérieure va d'ailleurs de pair avec la suppression ou la correction des répliques les plus critiquées.

On ne connaît presque rien du premier état du texte et l'on ne sait pas, pour commencer, s'il était constitué des trois premiers actes de la pièce que Molière aurait présentés à la Cour en une sorte d'avant-première, ou des trois actes d'une pièce achevée, qui correspondraient aux actes I, III et IV de la version définitive. La première hypothèse est corroborée par un passage de la *Vie de Molière* (1705) du comé-

1. Second placet, p. 39.

dien La Grange [1]. Cependant, l'ouvrage de La Grange est tardif, et l'on voit mal Molière présenter à la Cour, dans le cadre des somptueuses fêtes des *Plaisirs de l'île enchantée*, une pièce inachevée. Par ailleurs, Molière a composé, outre de nombreuses petites comédies en un acte, quelques comédies en trois actes, et particulièrement dans les premières années de sa carrière parisienne : *L'École des maris* (1661), *Les Fâcheux* (1661) et plus tard *Amphitryon* (1667), *George Dandin* (1668), *Monsieur de Pourceaugnac* (1669) et *Les Fourberies de Scapin* (1671) comportent trois actes. Aussi J. Cairncross [2] peut-il soutenir que les trois actes représentés en mai 1664 formaient une comédie complète, centrée sur les personnages d'Orgon, de Tartuffe, d'Elmire et de Damis. Fil principal de l'action, le mariage de Damis contrarié par Orgon, qui va jusqu'à répudier son fils ; au centre de la pièce puis à l'origine de son dénouement, la rencontre en deux temps entre Elmire et Tartuffe. La pièce s'achevait après la découverte, par Orgon, de la tentative de séduction. La différence essentielle entre cette version et la version définitive (qui est déjà celle de 1667) consiste donc dans l'ajout du couple formé par Mariane et Valère et dans l'invention du cinquième acte, c'est-à-dire de l'épisode de la cassette et de l'intervention de l'Exempt [3] par laquelle s'accomplit le dénouement.

L'histoire de la pièce permet de mieux comprendre les structures dramatiques, fort complexes, du *Tartuffe*, et tout particulièrement l'importance accordée par Molière à l'intrigue farcesque.

---

1. « On sait que les trois premiers actes de la comédie du *Tartuffe* de Molière furent représentés à Versailles dès le mois de mai de l'année 1664, et qu'au mois de septembre de la même année, ces trois actes furent joués pour la seconde fois à Villers-Cotterests, avec applaudissement. La pièce entière la première et la seconde fois au Raincy, au mois de novembre suivant, et en 1665 ; mais Paris ne l'avait point encore vue en 1667 » (La Grange, *Vie de M. de Molière*, 1705 ; édition critique par G. Mongrédien, Publications de la Société d'histoire du théâtre, Michel Brient éditeur, 1955, p. 88-89).

2. J. Cairncross, *Molière bourgeois et libertin*, Nizet, 1963, notamment p. 155-156. Voir aussi, sur cette question, R. McBride, *Molière et son premier Tartuffe*, Durham, 2005, et F. Rey et J. Lacouture, *Molière et le roi. L'affaire Tartuffe*, Seuil, 2007, notamment p. 77-90.

3. Officier de la police royale.

STRUCTURES DRAMATIQUES

On retrouve en effet, dans le trio que forment Orgon, sa femme Elmire et Tartuffe qui la courtise, trois figures traditionnelles de la farce médiévale. Pour G. Forestier, Molière « perfectionne » dans cette pièce « l'intégration de la structure de la farce dans la "grande comédie". En apparence, en effet, il s'agit d'une grande comédie [dont] l'action paraît obéir à une classique intrigue à l'italienne : un couple d'amoureux contrariés par un père-obstacle qui veut marier sa fille à un prétendant choisi par lui. Mais en même temps la structure de la farce est clairement discernable : à travers les rapports entre Orgon, sa femme Elmire et le faux dévot Tartuffe, on retrouve clairement le trio de la farce médiévale, le mari, la femme et l'amant, qui est très souvent un prêtre ; bien plus, le sommet de la pièce, qui consiste dans le piège tendu par Elmire à Tartuffe en présence d'Orgon caché sous la table, est très précisément une technique que l'on retrouve dans nombre de farces où la femme confie à son mari les convoitises sexuelles d'un tiers [1] ».

Loin d'être marginal, ce schéma hérité de la farce constitue ainsi la clef de voûte du dispositif dramatique : l'attrait qu'Elmire exerce sur Tartuffe est connu du public bien avant l'arrivée du faux dévot. Mais le rôle d'Elmire, que le spectateur n'a pas revue depuis la première scène de la pièce, n'est clairement défini qu'au début du troisième acte : elle doit alors, pour reprendre les mots de Dorine, « sonder » Tartuffe sur le mariage qu'Orgon a arrangé avec Mariane. Il y a là une première interférence entre l'intrigue farcesque et l'intrigue matrimoniale, autre pôle dynamique de la pièce auquel sont consacrées une partie du premier acte et la totalité du deuxième acte.

Premier temps fort de la pièce, la scène 3 de l'acte III n'aboutit pas, cependant, à l'effet escompté : Orgon refuse de croire Damis, qui a été témoin de la tentative de séduction. Enfermé dans sa folie, il va jusqu'à renvoyer son fils hors de

1. G. Forestier, *Molière*, Bordas, coll. « En toutes lettres », 1990, p. 77.

la demeure familiale. Mais Elmire n'est pas encore passée maître du jeu : de la scène 3 de l'acte III à la scène 5 de l'acte IV, on assiste à une transformation du personnage. Consciente de son pouvoir, Elmire prend désormais l'initiative de la relation et, en même temps qu'elle guide l'échange et évite de se compromettre, elle provoque les paroles et les gestes qui vont confondre le faux dévot aux yeux du mari incrédule. Le subterfuge hérité de la farce sert donc à faire tomber le masque de l'imposteur et à guérir Orgon de son aveuglement.

Le personnage d'Elmire est ainsi, par sa vocation de dramaturge ou de « metteur en scène », l'un des personnages essentiels de la pièce. Elle partage cette fonction de « metteur en scène » avec Dorine, figure traditionnelle de la servante habile et loquace, qui conseille ou agit en lieu et place de sa jeune maîtresse. À Mariane qui se plaint de la rigueur de son sort, elle propose, en feignant de se moquer d'elle, des solutions pratiques. Les scènes 3 et 4 (la scène de « dépit amoureux » entre Mariane et Valère) sont à cet égard exemplaires. C'est par ailleurs Dorine qui comprend la première (dès l'exposition, en fait) le rôle qu'Elmire pourra jouer dans la pièce.

S'il est entendu que les deux personnages principaux de la comédie sont bien Tartuffe et Orgon, il était nécessaire pour le dramaturge de mettre ces personnages en situation et de les faire évoluer dans une intrigue nettement définie. À l'intrigue matrimoniale héritée de la comédie à l'italienne, Molière intègre, nous l'avons vu, un schéma de farce. Or le croisement de ces deux fils, et, partant, la cohérence de la pièce sont assurés par Orgon et Tartuffe. Comme l'écrit encore G. Forestier, « le mari en puissance d'être trompé est en même temps l'obstacle au bonheur des amants, et [...] le prétendant qu'il a choisi est aussi celui qui veut le faire cocu, quand Tartuffe réunit les fonctions du "larron concupiscent" de la farce et du "prétendant burlesque de la comédie italienne" que le père offre à sa fille pour flatter sa manie [1] ».

1. *Ibid.*, p. 78-79.

Quel que soit l'angle adopté, Tartuffe et Orgon se trouvent toujours au centre du dispositif dramatique, mais celui-ci présente une évolution radicale dans les rapports de force entre les deux personnages : alors qu'il n'est d'abord que le destinataire de l'intrigue matrimoniale (Orgon veut donner Mariane à Tartuffe), Tartuffe devient le sujet de l'intrigue farcesque, donnant à Orgon un rôle d'opposant impuissant, avant de menacer enfin de perdre toute la famille. C'est dire que, d'une part, l'évolution des structures dramatiques est au service de la charge idéologique, et que, d'autre part, cette charge idéologique est double : autant que la fausse dévotion incarnée par Tartuffe, Molière a pour cible la crédulité aveugle d'Orgon, ces deux comportements constituant l'envers et l'endroit d'un même vice.

Le faux dévot et l'aveugle véritable

En retardant l'arrivée d'Orgon puis celle de Tartuffe, Molière se donne tout le loisir de peindre le couple que forment les deux personnages principaux, autant que la relation qui les unit. Dès le début de la pièce, le spectateur apprend qu'Orgon et sa mère, Madame Pernelle, se sont entichés de Tartuffe, que Cléante, Elmire, Dorine, Damis et Mariane, immédiatement présentés comme les personnages positifs et raisonnables de la pièce, définissent sans ambages comme un « cagot », c'est-à-dire un faux dévot. Le portrait double du faux dévot et de sa victime consentante est achevé par Orgon lui-même dans les scènes 4 et 5 du premier acte : le contraste entre le rapport sur la maladie d'Elmire et la répétition comique de « le pauvre homme » puis le récit de la rencontre avec Tartuffe persuadent définitivement le spectateur de la folie du personnage.

Scène pivot, la scène 5 du premier acte met également en place l'opposition fondamentale entre le personnage ridicule et celui qui incarne dans la pièce les valeurs de la mesure, de l'humanité et de la vraie foi. Représentant de la « juste nature », Cléante rend en effet explicite la démesure ou l'écart constitutifs de la folie du personnage principal. Ce raisonneur est aussi la figure du clairvoyant opposé à l'aveugle qu'est Orgon. Quand ce dernier assimile son attitude à celle des libertins, il répond :

> Voilà de vos pareils le discours ordinaire.
> Ils veulent que chacun soit aveugle comme eux.
> C'est être libertin que d'avoir de bons yeux,
> Et qui n'adore pas de vaines simagrées
> N'a ni respect ni foi pour les choses sacrées [1].

Aveuglé par l'admiration sans bornes qu'il voue à Tartuffe, Orgon est devenu mauvais père et mauvais mari :

> De toutes amitiés il [Tartuffe] détache mon âme ;
> Et je verrais mourir frère, enfants, mère et femme,
> Que je m'en soucierais autant que de cela [2].

Les effets de cette attitude sont immédiatement connus du spectateur : c'est le mariage imposé à Mariane et la répudiation de Damis. C'est surtout le refus de croire à la trahison de Tartuffe avant qu'il ne l'ait vue de ses propres yeux.

Aussi la pièce raconte-t-elle l'histoire d'une guérison : *Le Tartuffe* ou comment Orgon recouvre la vue. S'ils ont une fonction essentielle dans l'économie de la pièce et dans sa signification, les discours de Cléante n'ont pas de prise sur Orgon, qui a subi l'endoctrinement du faux dévot. C'est donc en lui « faisant voir » la trahison de Tartuffe qu'on le guérit de son aveuglement. Et Elmire a compris que pour croire, Orgon a besoin de voir :

> Mais que me répondrait votre incrédulité
> Si je vous faisais voir qu'on vous dit vérité [3] ?

Le succès d'Elmire est pourtant temporaire car, au moment où il recouvre la vue, Orgon doit subir les conséquences de ses agissements passés. Tartuffe l'a, en effet, pris de vitesse, de sorte que la lucidité nouvelle d'Orgon est impuissante à contrer son projet.

En ajoutant l'épisode de la cassette, en faisant rebondir l'action après la mise en scène qui permet de confondre Tar-

1. Acte I, scène 5, p. 57.
2. *Ibid.*, p. 56.
3. Acte IV, scène 3, p. 116.

tuffe, Molière a donné à sa pièce une dimension tragique, que les mises en scène modernes rendent souvent manifeste. Personnage redoutable, le Tartuffe des deux derniers actes porte très loin la critique. Par lui, Molière laisse entendre que la fausse dévotion peut être le ferment d'un chaos social autrement plus grave que le cocuage. Pourtant, la pièce ne s'arrête pas là : l'intervention de l'Exempt renverse une deuxième fois l'ordre des choses et assure le passage du malheur au bonheur, après la menace d'une fin tragique.

Cette fin ajoutée a fait l'objet de critiques sévères, ce pour deux raisons : d'une part, elle paraissait trop artificielle, et l'on y reconnaissait le procédé, condamné par les théoriciens du théâtre, du *deus ex machina*[1] ; d'autre part, elle semblait flatter un peu bassement le roi, qui avait œuvré pour l'autorisation de la pièce. Mais le dénouement s'inscrit en réalité dans un réseau de significations mis en place tout au long de la pièce. Il marque tout d'abord le franchissement d'une étape supérieure dans la déclinaison du thème du regard, puisque c'est finalement l'œil du roi qui perce l'imposteur. L'Exempt affirme en effet :

> Nous vivons sous un prince ennemi de la fraude,
> Un prince dont les yeux se font jour dans les cœurs,
> Et que ne peut tromper tout l'art des imposteurs[2].

Loin de servir une forme de flagornerie, le rétablissement *in extremis* de l'équilibre social dit ensuite l'impuissance de simples citoyens, fussent-ils clairvoyants et raisonnables, à combattre l'imposture et constitue en ce sens un véritable appel au pouvoir royal.

Le Tartuffe est donc une comédie du regard, qui commence dans les ténèbres de la crédulité et s'achève sous le regard omniscient du prince. Il n'en fallait pas moins pour faire tomber le masque du faux dévot et le désigner comme un vrai criminel.

Bénédicte LOUVAT-MOLOZAY.

---

1. Personnage extérieur à l'action dont le pouvoir supérieur permet de dénouer *in extremis* une situation inextricable.
2. Scène dernière, p. 145.

Le Tartuffe
ou
L'Imposteur[1]

1. Nous reproduisons le texte de l'édition originale (Paris, Ribou, 1669. Achevé d'imprimer du 6 juin 1669) dont nous modernisons l'orthographe. Nous conservons la ponctuation originale lorsqu'elle ne nuit pas à la compréhension du texte.

PRÉFACE

Voici une comédie dont on a fait beaucoup de bruit, qui a été longtemps persécutée, et les gens qu'elle joue* [1] ont bien fait voir qu'ils étaient plus puissants en France que tous ceux que j'ai joués jusqu'ici. Les marquis, les précieuses, les cocus et les médecins, ont souffert doucement [2] qu'on les ait représentés, et ils ont fait semblant de se divertir, avec tout le monde, des peintures que l'on a faites d'eux ; mais les hypocrites* n'ont point entendu* raillerie [3] ; ils se sont effarouchés d'abord*, et ont trouvé étrange que j'eusse la hardiesse de jouer leurs grimaces et de vouloir décrier un métier dont tant d'honnêtes gens se mêlent. C'est un crime qu'ils ne sauraient me pardonner, et ils se sont tous armés contre ma comédie avec une fureur épouvantable. Ils n'ont eu garde de l'attaquer par le côté qui les a blessés ; ils sont trop politiques* pour cela, et savent trop bien vivre pour découvrir le fond de leur âme. Suivant leur louable coutume, ils ont couvert leurs intérêts de la cause de Dieu ; et *Le Tartuffe*, dans leur bouche, est une pièce qui offense la piété. Elle est, d'un bout à l'autre, pleine d'abominations, et l'on n'y trouve rien qui ne mérite le feu [4]. Toutes les syllabes en sont impies ; les gestes, même, y sont criminels ; et le moindre coup d'œil, le moindre branlement de tête, le moindre pas à droite ou à gauche, y cache des mystères qu'ils trouvent moyen d'expliquer à mon désavantage. J'ai eu beau la soumettre aux lumières de mes amis et à la censure de tout le monde, les corrections que j'y ai pu faire, le

---

1. Les astérisques renvoient au lexique en fin de volume, p. 193-194.
2. Sans protester, sans faire de bruit.
3. N'ont pas compris la plaisanterie.
4. Allusion au châtiment réservé aux libertins.

jugement du roi et de la reine, qui l'ont vue, l'approbation des grands princes et de messieurs les ministres, qui l'ont honorée publiquement de leur présence, le témoignage des gens de bien qui l'ont trouvée profitable, tout cela n'a de rien servi. Ils n'en veulent point démordre, et tous les jours encore, ils font crier en public des zélés* indiscrets [1] qui me disent des injures pieusement, et me damnent par charité.

Je me soucierais fort peu de tout ce qu'ils peuvent dire, n'était l'artifice qu'ils ont de me faire des ennemis que je respecte, et de jeter dans leur parti de véritables gens de bien, dont ils préviennent* la bonne foi, et qui, par la chaleur qu'ils ont pour les intérêts du ciel, sont faciles à recevoir [2] les impressions qu'on veut leur donner. Voilà ce qui m'oblige à me défendre. C'est aux vrais dévots que je veux partout me justifier sur la conduite de ma comédie ; et je les conjure, de tout mon cœur, de ne point condamner les choses avant que de les voir, de se défaire de toute prévention, et de ne point servir la passion de ceux dont les grimaces les déshonorent.

Si l'on prend la peine d'examiner de bonne foi ma comédie, on verra sans doute* que mes intentions y sont partout innocentes, et qu'elle ne tend nullement à jouer* les choses que l'on doit révérer ; que je l'ai traitée avec toutes les précautions que demandait la délicatesse de la matière et que j'ai mis tout l'art et tous les soins qu'il m'a été possible pour bien distinguer le personnage de l'hypocrite* d'avec celui du vrai dévot. J'ai employé pour cela deux actes entiers à préparer la venue de mon scélérat. Il ne tient pas un seul moment l'auditeur en balance [3] ; on le connaît d'abord* aux marques que je lui donne ; et, d'un bout à l'autre, il ne dit pas un mot, il ne fait pas une action, qui ne peigne aux spectateurs le caractère d'un méchant homme, et ne fasse éclater celui du véritable homme de bien, que je lui oppose.

Je sais bien que, pour réponse, ces messieurs tâchent d'insinuer que ce n'est point au théâtre à parler de ces

---

1. Des dévots fanatisés.
2. Reçoivent sans peine.
3. Dans le doute.

matières ; mais je leur demande, avec leur permission, sur quoi ils fondent cette belle maxime. C'est une proposition qu'ils ne font que supposer, et qu'ils ne prouvent en aucune façon ; et, sans doute*, il ne serait pas difficile de leur faire voir que la comédie*, chez les anciens, a pris son origine de la religion, et faisait partie de leurs mystères [1] ; que les Espagnols, nos voisins, ne célèbrent guère de fête où la comédie ne soit mêlée, et que, même, parmi nous, elle doit sa naissance aux soins d'une confrérie à qui appartient encore aujourd'hui l'Hôtel de Bourgogne [2] ; que c'est un lieu qui fut donné pour y représenter les plus importants mystères de notre foi [3] ; qu'on en voit encore des comédies imprimées en lettres gothiques sous le nom d'un docteur de Sorbonne [4] ; et sans aller chercher si loin, que l'on a joué, de notre temps, des pièces saintes de Monsieur de Corneille [5], qui ont été l'admiration de toute la France.

Si l'emploi de la comédie est de corriger les vices des hommes, je ne vois pas par quelle raison il y en aura de privilégiés. Celui-ci est, dans l'État, d'une conséquence bien plus dangereuse que tous les autres, et nous avons vu que le théâtre a une grande vertu* pour la correction. Les plus beaux traits d'une sérieuse morale sont moins puissants, le plus souvent, que ceux de la satire ; et rien ne reprend mieux la plupart des hommes que la peinture de leurs défauts. C'est une grande atteinte aux vices que de les exposer à la risée de tout le monde. On souffre* aisément des répréhensions ; mais on ne souffre point la raillerie. On veut bien être méchant ; mais on ne veut point être ridicule.

---

1. Ici : cérémonies religieuses.
2. La salle de théâtre de l'Hôtel de Bourgogne était en effet la propriété des confrères de la Passion, qui la louaient aux comédiens.
3. La Confrérie de la Passion s'était fait une spécialité de la représentation des « mystères » (pièces de théâtre à sujet religieux), et tout particulièrement du plus grand d'entre eux, le mystère de la Passion du Christ. Un arrêt du parlement de Paris prononcé en 1548 avait mis fin à la représentation de ces pièces à succès.
4. Jehan Michel, docteur en théologie et auteur d'un *Mystère de la Passion* (1490) et d'un *Mystère de la Résurrection* (sans date).
5. *Polyeucte martyr*, représenté en 1641-1642, et *Théodore vierge et martyre*, qui date de 1646.

On me reproche d'avoir mis des termes de piété dans la bouche de mon Imposteur. Eh ! pouvais-je m'en empêcher, pour bien représenter le caractère d'un hypocrite* ? Il suffit, ce me semble, que je fasse connaître les motifs criminels qui lui font dire les choses, et que j'en aie retranché les termes consacrés, dont on aurait eu peine à lui entendre faire un mauvais usage. Mais il débite au quatrième acte une morale pernicieuse. Mais cette morale est-elle quelque chose dont tout le monde n'eût les oreilles rebattues [1] ? dit-elle rien de nouveau dans ma comédie ? et peut-on craindre que des choses si généralement détestées fassent quelque impression dans les esprits ? que je les rende dangereuses en les faisant monter sur le théâtre ? qu'elles reçoivent quelque autorité de la bouche d'un scélérat ? Il n'y a nulle apparence [2] à cela ; et l'on doit approuver la comédie du *Tartuffe*, ou condamner généralement toutes les comédies.

C'est à quoi l'on s'attache furieusement depuis un temps ; et jamais on ne s'était si fort déchaîné contre le théâtre [3]. Je ne puis pas nier qu'il n'y ait eu des Pères de l'Église qui ont condamné la comédie ; mais on ne peut pas me nier aussi qu'il n'y en ait eu quelques-uns qui l'ont traitée un peu plus doucement. Ainsi l'autorité dont on prétend appuyer la censure est détruite par ce partage ; et toute la conséquence qu'on peut tirer de cette diversité d'opinions en des esprits éclairés des mêmes lumières, c'est qu'ils ont pris la comédie différemment, et que les uns l'ont considérée dans sa pureté, lorsque les autres l'ont regardée dans sa corruption, et confondue avec tous ces vilains spectacles qu'on a eu raison de nommer des spectacles de turpitude [4].

---

1. Cette « morale pernicieuse » est celle des jésuites, que Pascal avait brocardée dans ses *Provinciales* (1656-1657). Le texte avait connu un succès considérable.

2. Nulle apparence de vérité.

3. Allusion à la querelle de la moralité du théâtre, ravivée dans les années 1665-1666 par la publication du *Traité de la comédie* de Pierre Nicole et du *Traité de la comédie et des spectacles* du prince de Conti, l'ancien protecteur de Molière Voir le chapitre 4 du dossier.

4. Saint Augustin désignait ainsi non pas le théâtre mais les jeux du cirque et autres spectacles licencieux de l'ancienne Rome.

Et, en effet, puisqu'on doit discourir des choses et non pas des mots, et que la plupart des contrariétés [1] viennent de ne se pas entendre*, et d'envelopper dans un même mot des choses opposées, il ne faut qu'ôter le voile de l'équivoque, et regarder ce qu'est la comédie* en soi, pour voir si elle est condamnable. On connaîtra, sans doute*, que n'étant autre chose qu'un poème ingénieux, qui, par des leçons agréables, reprend les défauts des hommes, on ne saurait la censurer sans injustice. Et si nous voulons ouïr là-dessus le témoignage de l'Antiquité, elle nous dira que ses plus célèbres philosophes ont donné des louanges à la comédie, eux qui faisaient profession d'une sagesse si austère, et qui criaient sans cesse après les vices de leur siècle. Elle nous fera voir qu'Aristote a consacré des veilles au théâtre, et s'est donné le soin de réduire en préceptes l'art de faire des comédies [2]. Elle nous apprendra que de ses plus grands hommes, et des premiers en dignité, ont fait gloire d'en composer eux-mêmes, qu'il y en a eu d'autres qui n'ont pas dédaigné de réciter en public celles qu'ils avaient composées ; que la Grèce a fait pour cet art éclater son estime par les prix glorieux et par les superbes théâtres dont elle a voulu l'honorer ; et que dans Rome enfin, ce même art a reçu aussi des honneurs extraordinaires : je ne dis pas dans Rome débauchée, et sous la licence des empereurs, mais dans Rome disciplinée, sous la sagesse des consuls, et dans le temps de la vigueur de la vertu* romaine.

J'avoue qu'il y a eu des temps où la comédie s'est corrompue. Et qu'est-ce que dans le monde on ne corrompt point tous les jours ? Il n'y a chose si innocente où les hommes ne puissent porter du crime ; point d'art si salutaire dont ils ne soient capables de renverser les intentions ; rien de si bon en soi qu'ils ne puissent tourner à de mauvais usages. La médecine est un art profitable, et chacun la révère comme une des plus excellentes choses que nous ayons ; et cependant il y a eu

---

1. Contradictions.
2. Allusion à la *Poétique*, dont la partie consacrée à la comédie a été perdue. « L'art de faire des comédies » désigne ici encore l'art de composer des pièces de théâtre, tous genres dramatiques confondus.

des temps où elle s'est rendue odieuse, et souvent on en a fait un art d'empoisonner les hommes. La philosophie est un présent du ciel : elle nous a été donnée pour porter nos esprits à la connaissance d'un Dieu par la contemplation des merveilles de la nature ; et pourtant on n'ignore pas que souvent on l'a détournée de son emploi, et qu'on l'a occupée publiquement à soutenir l'impiété. Les choses même les plus saintes ne sont point à couvert de la corruption des hommes ; et nous voyons des scélérats qui, tous les jours, abusent de la piété, et la font servir méchamment aux crimes les plus grands. Mais on ne laisse pas pour cela de faire les distinctions qu'il est besoin de faire. On n'enveloppe point dans une fausse conséquence la bonté des choses que l'on corrompt, avec la malice des corrupteurs. On sépare toujours le mauvais usage d'avec l'intention de l'art ; et comme on ne s'avise point de défendre la médecine [1] pour avoir été bannie de Rome [2], ni la philosophie pour avoir été condamnée publiquement dans Athènes [3], on ne doit point aussi vouloir interdire la comédie pour avoir été censurée en de certains temps. Cette censure a eu ses raisons, qui ne subsistent point ici. Elle s'est renfermée dans ce qu'elle a pu voir, et nous ne devons point la tirer des bornes qu'elle s'est données, l'étendre plus loin qu'il ne faut, et lui faire embrasser l'innocent avec le coupable. La comédie qu'elle a eu dessein d'attaquer n'est point du tout la comédie que nous voulons défendre. Il se faut bien garder de confondre celle-là avec celle-ci. Ce sont deux personnes de qui les mœurs sont tout à fait opposées. Elles n'ont aucun rapport l'une avec l'autre que [4] la ressemblance du nom ; et ce serait une injustice épouvantable que de vouloir condamner Olympe, qui est femme de bien, parce qu'il y a une Olympe qui a été une débauchée. De semblables arrêts, sans doute*, feraient un grand désordre dans le monde. Il n'y aurait rien par là qui ne fût condamné ; et puisque l'on ne garde point cette rigueur à tant de choses dont

1. D'interdire le recours à la médecine.
2. Les médecins furent chassés de Rome avec tous les Grecs d'Italie « longtemps après Caton », ainsi que le rapporte Pline l'Ancien.
3. Allusion à la condamnation de Socrate.
4. Sinon.

on abuse tous les jours, on doit bien faire la même grâce à la comédie, et approuver les pièces de théâtre où l'on verra régner l'instruction et l'honnêteté.

Je sais qu'il y a des esprits dont la délicatesse ne peut souffrir* aucune comédie ; qui disent que les plus honnêtes sont les plus dangereuses ; que les passions que l'on y dépeint sont d'autant plus touchantes qu'elles sont pleines de vertu*, et que les âmes sont attendries par ces sortes de représentations. Je ne vois pas quel grand crime c'est que de s'attendrir à la vue d'une passion honnête ; et c'est un haut étage de vertu que cette pleine insensibilité où ils veulent faire monter notre âme. Je doute qu'une si grande perfection soit dans les forces de la nature humaine ; et je ne sais s'il n'est pas mieux de travailler à rectifier et adoucir les passions des hommes que de vouloir les retrancher entièrement. J'avoue qu'il y a des lieux qu'il vaut mieux fréquenter que le théâtre ; et si l'on veut blâmer toutes les choses qui ne regardent pas directement Dieu et notre salut, il est certain que la comédie en doit être, et je ne trouve point mauvais qu'elle soit condamnée avec le reste. Mais, supposé, comme il est vrai, que les exercices de la piété souffrent des intervalles et que les hommes aient besoin de divertissement, je soutiens qu'on ne leur en peut trouver un qui soit plus innocent que la comédie. Je me suis étendu trop loin. Finissons par un mot d'un grand prince [1] sur la comédie du *Tartuffe.*

Huit jours après qu'elle eut été défendue, on représenta devant la Cour une pièce intitulée *Scaramouche ermite* [2] ; et le roi, en sortant, dit au grand prince que je veux dire : « Je voudrais bien savoir pourquoi les gens qui se scandalisent si fort de la comédie de Molière ne disent mot de celle de *Scaramouche* ? » ; à quoi le prince répondit : « La raison de cela, c'est que la comédie de *Scaramouche* joue* le ciel et la religion, dont ces messieurs-là ne se soucient point ; mais celle de Molière les joue eux-mêmes ; c'est ce qu'ils ne peuvent souffrir. »

---

1. Le Grand Condé.
2. Pièce licencieuse représentée par les Comédiens-Italiens en 1664 (le canevas en est perdu).

LE LIBRAIRE [1] AU LECTEUR

Comme les moindres choses qui partent de la plume de Monsieur de Molière ont des beautés que les plus délicats ne se peuvent lasser d'admirer, j'ai cru ne devoir pas négliger l'occasion de vous faire part de ces placets, et qu'il était à propos de les joindre à Tartuffe, *puisque partout il y est parlé de cette incomparable pièce.*

PREMIER PLACET*
PRÉSENTÉ AU ROI
SUR LA COMÉDIE DU *TARTUFFE* [2]

Sire,

Le devoir de la comédie étant de corriger les hommes en les divertissant, j'ai cru que, dans l'emploi où je me trouve, je n'avais rien de mieux à faire que d'attaquer par des peintures ridicules les vices de mon siècle ; et comme l'hypocrisie*, sans doute*, en est un des plus en usage, des plus incommodes, et des plus dangereux, j'avais eu, Sire, la pensée que je ne rendrais pas un petit service à tous les honnêtes gens de votre royaume, si je faisais une comédie qui décriât [3] les hypocrites*, et mît en vue, comme il faut, toutes les grimaces étudiées de ces gens de bien à outrance, toutes les

1. L'éditeur.
2. Ce texte peut être daté du mois d'août 1664 : Molière y demande justice contre le curé Roullé qui l'avait très violemment attaqué dans un ouvrage imprimé au début du mois.
3. Littéralement : dévaluer ou supprimer une monnaie. On comprend ainsi la métaphore des « faux monnayeurs en dévotion » qui vient ensuite.

friponneries couvertes de ces faux monnayeurs en dévotion, qui veulent attraper les hommes avec un zèle* contrefait et une charité sophistique [1].

Je l'ai faite, Sire, cette comédie, avec tout le soin, comme je crois, et toutes les circonspections que pouvait demander la délicatesse de la matière* ; et pour mieux conserver l'estime et le respect qu'on doit aux vrais dévots, j'en ai distingué le plus que j'ai pu le caractère que j'avais à toucher [2] ; je n'ai point laissé d'équivoque, j'ai ôté ce qui pouvait confondre le bien avec le mal, et ne me suis servi dans cette peinture que des couleurs expresses et des traits essentiels qui font reconnaître d'abord* un véritable et franc hypocrite*.

Cependant toutes mes précautions ont été inutiles ; on a profité, Sire, de la délicatesse de votre âme sur les matières de religion, et l'on a su vous prendre par l'endroit seul que vous êtes prenable, je veux dire par le respect des choses saintes : les tartuffes, sous main, ont eu l'adresse de trouver grâce auprès de Votre Majesté ; et les originaux enfin ont fait supprimer la copie, quelque innocente qu'elle fût, et quelque ressemblante qu'on la trouvât.

Bien que ce m'ait été un coup sensible que la suppression de cet ouvrage, mon malheur, pourtant, était adouci par la manière dont Votre Majesté s'était expliquée sur ce sujet ; et j'ai cru, Sire, qu'elle m'ôtait tout lieu de me plaindre, ayant eu la bonté de déclarer qu'elle ne trouvait rien à dire dans cette comédie qu'elle me défendait de produire en public.

Mais, malgré cette glorieuse déclaration du plus grand roi du monde et du plus éclairé, malgré l'approbation encore de M. le légat [3], et de la plus grande partie de nos prélats, qui tous, dans les lectures particulières que je leur ai faites de mon ouvrage, se sont trouvés d'accord avec les sentiments de Votre Majesté ; malgré tout cela, dis-je, on voit un

1. Artificielle.
2. Représenter.
3. Le cardinal Chigi, qui demanda ou accepta que Molière lui lût sa pièce au début du mois d'août 1664.

livre composé par le curé de*** [1], qui donne hautement* un démenti à tous ces augustes témoignages. Votre Majesté a beau dire, et Monsieur le légat et Messieurs les prélats ont beau donner leur jugement, ma comédie, sans l'avoir vue [2], est diabolique, et diabolique mon cerveau ; je suis un démon vêtu de chair et habillé en homme, un libertin, un impie digne d'un supplice exemplaire. Ce n'est pas assez que le feu expie en public mon offense, j'en serais quitte à trop bon marché ; le zèle* charitable de ce galant homme de bien n'a garde de demeurer là ; il ne veut point que j'aie de miséricorde auprès de Dieu, il veut absolument que je sois damné ; c'est une affaire résolue [3].

Ce livre, Sire, a été présenté à Votre Majesté, et, sans doute*, elle juge bien Elle-même combien il m'est fâcheux de me voir exposé tous les jours aux insultes de ces messieurs. Quel tort me feront dans le monde de telles calomnies, s'il faut qu'elles soient tolérées ! et quel intérêt j'ai enfin à me purger de son imposture, et à faire voir au public que ma comédie n'est rien moins que ce qu'on veut qu'elle soit ! Je ne dirai point, Sire, ce que j'aurais à demander pour ma réputation, et pour justifier à tout le monde l'innocence de mon ouvrage ; les rois éclairés comme vous n'ont pas besoin qu'on leur marque ce qu'on souhaite, ils voient, comme Dieu, ce qu'il nous faut, et savent mieux que nous ce qu'ils nous doivent accorder : Il me suffit de mettre mes intérêts entre les mains de Votre Majesté, et j'attends d'Elle, avec respect, tout ce qu'il lui plaira d'ordonner là-dessus.

---

1. *Le Roi glorieux au monde ou Louis XIV le plus glorieux de tous les rois du monde* de Pierre Roullé, curé de Paris.
2. Sans qu'il l'ait vue.
3. Ce passage reprend les arguments essentiels avancés par le curé Roullé à l'encontre de Molière et de sa pièce. Voir le chapitre 4 du dossier.

SECOND PLACET*
PRÉSENTÉ AU ROI DANS SON CAMP DEVANT LA VILLE DE LILLE EN FLANDRE[1].

Sire,

C'est une chose bien téméraire à moi que de venir importuner un grand monarque au milieu de ses glorieuses conquêtes ; mais, dans l'état où je me vois, où trouver, Sire, une protection qu'au lieu où je la viens chercher ? et qui puis-je solliciter contre l'autorité de la puissance[2] qui m'accable, que[3] la source de la puissance et de l'autorité, que le juste dispensateur des ordres absolus, que le souverain juge et le maître de toutes choses ?

Ma comédie, Sire, n'a pu jouir ici des bontés de Votre Majesté. En vain je l'ai produite sous le titre de *L'Imposteur*, et déguisé le personnage sous l'ajustement[4] d'un homme du monde ; j'ai eu beau lui donner un petit chapeau, de grands cheveux, un grand collet, une épée, et des dentelles sur tout l'habit, mettre en plusieurs endroits des adoucissements, et retrancher avec soin tout ce que j'ai jugé capable de fournir l'ombre d'un prétexte aux célèbres originaux du portrait que je voulais faire : tout cela n'a de rien servi. La cabale[5] s'est réveillée aux simples conjectures qu'ils ont pu avoir de la chose. Ils ont trouvé moyen de surprendre des esprits qui, dans toute autre matière, font une haute profession de ne se point laisser surprendre. Ma comédie n'a pas plutôt paru qu'elle s'est vue foudroyée par le coup d'un pouvoir qui doit imposer du respect ; et tout ce que j'ai pu faire en cette

1. La campagne de Flandre faisait valoir les droits de la reine contre la domination espagnole ; elle avait déjà été marquée par d'importantes victoires au printemps. Ce second placet est écrit après l'interdiction de représenter la deuxième version du *Tartuffe*, prononcée en l'absence du roi le 6 août 1667 ; Molière le fit parvenir au roi par l'intermédiaire de deux de ses comédiens (La Thorillière et La Grange).

2. Le premier président Lamoignon, chargé de la police de Paris en l'absence du roi, et qui vient d'interdire la pièce.

3. Sinon.

4. L'habit.

5. Le parti dévot, et plus précisément la Compagnie du Saint-Sacrement.

rencontre[1] pour me sauver moi-même de l'éclat de cette tempête, c'est de dire que Votre Majesté avait eu la bonté de m'en permettre la représentation, et que je n'avais pas cru qu'il fût besoin de demander cette permission à d'autres, puisqu'il n'y avait qu'Elle seule qui me l'eût défendue.

Je ne doute point, Sire, que les gens que je peins dans ma comédie ne remuent bien des ressorts* auprès de Votre Majesté, et ne jettent dans leur parti, comme ils l'ont déjà fait, de véritables gens de bien, qui sont d'autant plus prompts à se laisser tromper qu'ils jugent d'autrui par eux-mêmes. Ils ont l'art de donner de belles couleurs* à toutes leurs intentions. Quelque mine qu'ils fassent, ce n'est point du tout l'intérêt de Dieu qui les peut émouvoir : ils l'ont assez montré dans les comédies qu'ils ont souffert* qu'on ait jouées tant de fois en public, sans en dire le moindre mot. Celles-là n'attaquaient que la piété et la religion, dont ils se soucient fort peu : mais celle-ci les attaque et les joue* eux-mêmes, et c'est ce qu'ils ne peuvent souffrir. Ils ne sauraient me pardonner de dévoiler leurs impostures aux yeux de tout le monde et, sans doute*, on ne manquera pas de dire à Votre Majesté que chacun s'est scandalisé de ma comédie. Mais la vérité pure, Sire, c'est que tout Paris ne s'est scandalisé que de la défense qu'on en a faite, que les plus scrupuleux en ont trouvé la représentation profitable, et qu'on s'est étonné que des personnes d'une probité si connue aient eu une si grande déférence pour des gens qui devraient être l'horreur de tout le monde et sont si opposés à la véritable piété dont elles font profession.

J'attends avec respect l'arrêt que Votre Majesté daignera prononcer sur cette matière ; mais il est très assuré, Sire, qu'il ne faut plus que je songe à faire des comédies, si les tartuffes ont l'avantage ; qu'ils prendront droit par là de me persécuter plus que jamais, et voudront trouver à redire aux choses les plus innocentes qui pourront sortir de ma plume.

Daignent vos bontés, Sire, me donner une protection contre leur rage envenimée ; et puissé-je, au retour d'une campagne si glorieuse, délasser Votre Majesté des fatigues

1. En cette situation.

de ses conquêtes, lui donner d'innocents plaisirs après de si nobles travaux, et faire rire le monarque qui fait trembler toute l'Europe !

TROISIÈME PLACET*
PRÉSENTÉ AU ROI [1]

Sire,

Un fort honnête médecin [2], dont j'ai l'honneur d'être le malade, me promet, et veut s'obliger par-devant notaires, de me faire vivre encore trente années, si je puis lui obtenir une grâce de Votre Majesté. Je lui ai dit, sur sa promesse, que je ne lui demandais pas tant, et que je serais satisfait de lui, pourvu qu'il s'obligeât de ne me point tuer. Cette grâce, Sire, est un canonicat de votre chapelle royale de Vincennes, vacant par la mort de***.

Oserais-je demander encore cette grâce à Votre Majesté le propre jour de la grande résurrection de *Tartuffe*, ressuscité par vos bontés ? Je suis, par cette première faveur, réconcilié avec les dévots, et je le serais, par cette seconde, avec les médecins. C'est pour moi, sans doute*, trop de grâces à la fois ; mais peut-être n'en est-ce pas trop pour Votre Majesté ; et j'attends, avec un peu d'espérance respectueuse, la réponse de mon placet.

---

1. Ce dernier placet date du 5 février 1669, jour de la première représentation du *Tartuffe* après la levée de l'interdiction.
2. M. Mauvillain.

PERSONNAGES

MADAME PERNELLE, mère d'Orgon.
ORGON, mari d'Elmire.
ELMIRE, femme d'Orgon.
DAMIS, fils d'Orgon.
MARIANE, fille d'Orgon et amante* de Valère.
VALÈRE, amant de Mariane.
CLÉANTE, beau-frère d'Orgon.
TARTUFFE [1], faux dévot.
DORINE, suivante* de Mariane.
MONSIEUR LOYAL, sergent.
UN EXEMPT*.
FLIPOTE, servante de Madame Pernelle.

La scène est à Paris.

---

1. Le nom de Tartuffe, que Molière n'a pas inventé et qui désignait déjà un personnage d'hypocrite, provient du terme italien « tartufo », qui signifie au sens propre la truffe, et au sens figuré la tromperie. Par ailleurs, la sonorité feutrée de la deuxième syllabe semble faire sens pour les contemporains, puisque Scarron et La Bruyère donnent à leurs faux dévots des noms semblables (Montufar et Onuphre). Voir le chapitre 2 du dossier.

ACTE PREMIER

Scène première

MADAME PERNELLE ET FLIPOTE sa servante, ELMIRE, DORINE, DAMIS, MARIANE, CLÉANTE

MADAME PERNELLE

Allons, Flipote, allons ; que d'eux je me délivre.

ELMIRE

Vous marchez d'un tel pas qu'on a peine à vous suivre.

MADAME PERNELLE

Laissez, ma bru, laissez ; ne venez pas plus loin :
Ce sont toutes façons dont je n'ai pas besoin.

ELMIRE

5 De ce que l'on vous doit envers vous on s'acquitte.
Mais, ma mère, d'où vient que vous sortez si vite ?

MADAME PERNELLE

C'est que je ne puis voir tout ce ménage-ci,
Et que de me complaire on ne prend nul souci.
Oui, je sors de chez vous fort mal édifiée ;
10 Dans toutes mes leçons j'y suis contrariée,
On n'y respecte rien ; chacun y parle haut,
Et c'est tout justement la cour du roi Pétaud [1].

---

1. Expression proverbiale qui signifie que la confusion règne.

DORINE

Si…

MADAME PERNELLE

Vous êtes, mamie*, une fille suivante
Un peu trop forte en gueule [1], et fort impertinente :
15 Vous vous mêlez sur tout de dire votre avis.

DAMIS

Mais…

MADAME PERNELLE

Vous êtes un sot en trois lettres, mon fils ;
C'est moi qui vous le dis, qui suis votre grand-mère ;
Et j'ai prédit cent fois à mon fils, votre père,
Que vous preniez tout l'air d'un méchant garnement,
20 Et ne lui donneriez jamais que du tourment.

MARIANE

Je crois…

MADAME PERNELLE

Mon Dieu, sa sœur, vous faites la discrète,
Et vous n'y touchez pas, tant vous semblez doucette ;
Mais il n'est, comme on dit, pire eau que l'eau qui dort,
Et vous menez sous chape [2] un train que je hais fort.

ELMIRE

25 Mais, ma mère…

MADAME PERNELLE

Ma bru, qu'il ne vous en déplaise,
Votre conduite en tout est tout à fait mauvaise ;
Vous devriez leur mettre un bon exemple aux yeux,
Et leur défunte mère en usait beaucoup mieux.

---

1. Un « fort en gueule » est un homme qui parle fort et beaucoup.
2. Sous cape.

Vous êtes dépensière, et cet état [1] me blesse,
30 Que vous alliez vêtue ainsi qu'une princesse.
Quiconque à son mari veut plaire seulement,
Ma bru, n'a pas besoin de tant d'ajustement.

CLÉANTE

Mais, Madame, après tout…

MADAME PERNELLE

Pour vous, Monsieur son frère,
Je vous estime fort, vous aime, et vous révère ;
35 Mais enfin, si j'étais de mon fils [2], son époux,
Je vous prierais bien fort de n'entrer point chez nous.
Sans cesse vous prêchez des maximes de vivre
Qui par d'honnêtes gens ne se doivent point suivre :
Je vous parle un peu franc, mais c'est là mon humeur,
40 Et je ne mâche point ce que j'ai sur le cœur.

DAMIS

Votre Monsieur Tartuffe est bienheureux sans doute*…

MADAME PERNELLE

C'est un homme de bien, qu'il faut que l'on écoute ;
Et je ne puis souffrir*, sans me mettre en courroux,
De le voir querellé par un fou comme vous.

DAMIS

45 Quoi ! je souffrirai, moi, qu'un cagot* de critique [3]
Vienne usurper céans* un pouvoir tyrannique ?
Et que nous ne puissions à rien nous divertir,
Si ce beau monsieur-là n'y daigne consentir ?

DORINE

S'il le faut écouter, et croire à ses maximes,

---

1. Ce train de vie.
2. Si j'étais mon fils.
3. Un critique dont la véritable nature est celle d'un cagot, c'est-à-dire d'un faux dévot.

50 On ne peut faire rien qu'on ne fasse des crimes,
Car il contrôle tout, ce critique zélé*.

MADAME PERNELLE

Et tout ce qu'il contrôle est fort bien contrôlé.
C'est au chemin du Ciel qu'il prétend vous conduire ;
Et mon fils à l'aimer vous devrait tous induire.

DAMIS

55 Non, voyez-vous, ma mère, il n'est père ni rien
Qui me puisse obliger à lui vouloir du bien.
Je trahirais mon cœur de parler d'autre sorte ;
Sur ses façons de faire à tous coups je m'emporte ;
J'en prévois une suite, et qu'avec ce pied plat [1]
60 Il faudra que j'en vienne à quelque grand éclat.

DORINE

Certes, c'est une chose aussi qui scandalise,
De voir qu'un inconnu céans* s'impatronise [2],
Qu'un gueux* qui, quand il vint, n'avait pas de souliers
Et dont l'habit entier valait bien six deniers,
65 En vienne jusque-là que de se méconnaître,
De contrarier tout, et de faire le maître.

MADAME PERNELLE

Hé ! merci de ma vie [3] ! il en irait bien mieux,
Si tout se gouvernait par ses ordres pieux.

DORINE

Il passe pour un saint dans votre fantaisie ;
70 Tout son fait, croyez-moi, n'est rien qu'hypocrisie*.

MADAME PERNELLE

Voyez la langue [4] !

1. Homme du peuple, qui ne porte pas de hauts talons.
2. S'établisse en maître.
3. Serment qui équivaut à « Dieu merci ».
4. La mauvaise langue.

DORINE

À lui, non plus qu'à son Laurent,
Je ne me fierais, moi, que sur un bon garant.

MADAME PERNELLE

J'ignore ce qu'au fond le serviteur peut être ;
Mais pour homme de bien je garantis le maître.
75 Vous ne lui voulez mal, et ne le rebutez [1]
Qu'à cause qu'il vous dit à tous vos vérités.
C'est contre le péché que son cœur se courrouce,
Et l'intérêt du Ciel est tout ce qui le pousse.

DORINE

Oui ; mais pourquoi, surtout depuis un certain temps,
80 Ne saurait-il souffrir* qu'aucun hante* céans* [2] ?
En quoi blesse le Ciel une visite honnête,
Pour en faire un vacarme à nous rompre la tête ?
Veut-on que là-dessus je m'explique entre nous ?
Je crois que de Madame il est, ma foi, jaloux.

MADAME PERNELLE

85 Taisez-vous, et songez aux choses que vous dites.
Ce n'est pas lui tout seul qui blâme ces visites ;
Tout ce tracas qui suit les gens que vous hantez,
Ces carrosses sans cesse à la porte plantés,
Et de tant de laquais le bruyant assemblage
90 Font un éclat fâcheux dans tout le voisinage.
Je veux croire qu'au fond il ne se passe rien ;
Mais enfin on en parle, et cela n'est pas bien.

CLÉANTE

Hé ! voulez-vous, Madame, empêcher qu'on ne cause ?
Ce serait dans la vie une fâcheuse chose,
95 Si pour les sots discours où l'on peut être mis,
Il fallait renoncer à ses meilleurs amis.
Et quand même on pourrait se résoudre à le faire,

---

1. Vous l'empêchez d'agir.
2. Pourquoi ne tolère-t-il pas les visites ?

Croiriez-vous obliger tout le monde à se taire ?
Contre la médisance il n'est point de rempart ;
100 À tous les sots caquets [1] n'ayons donc nul égard ;
Efforçons-nous de vivre avec toute innocence,
Et laissons aux causeurs une pleine licence*.

DORINE

Daphné, notre voisine, et son petit époux
Ne seraient-ils point ceux qui parlent mal de nous ?
105 Ceux de qui la conduite offre le plus à rire
Sont toujours sur autrui les premiers à médire ;
Ils ne manquent jamais de saisir promptement
L'apparente lueur du moindre attachement,
D'en semer la nouvelle avec beaucoup de joie,
110 Et d'y donner le tour* qu'ils veulent qu'on y croie.
Des [2] actions d'autrui, teintes de leurs couleurs*,
Ils pensent dans le monde autoriser les leurs,
Et sous le faux espoir de quelque ressemblance,
Aux intrigues qu'ils ont donner de l'innocence,
115 Ou faire ailleurs tomber quelques traits partagés
De ce blâme public dont ils sont trop chargés.

MADAME PERNELLE

Tous ces raisonnements ne font rien à l'affaire :
On sait qu'Orante mène une vie exemplaire ;
Tous ses soins vont au Ciel, et j'ai su par des gens
120 Qu'elle condamne fort le train [3] qui vient céans*.

DORINE

L'exemple est admirable, et cette dame est bonne :
Il est vrai qu'elle vit en austère personne ;
Mais l'âge dans son âme a mis ce zèle* ardent,
Et l'on sait qu'elle est prude à son corps défendant.
125 Tant qu'elle a pu des cœurs attirer les hommages,

---

1. Les « sots caquets » sont ici, comme les « sots discours » du vers 95, les médisances ou les calomnies dont on peut être l'objet.
2. Par les actions d'autrui.
3. Les visiteurs.

Elle a fort bien joui de tous ses avantages ;
Mais, voyant de ses yeux tous les brillants baisser,
Au monde, qui la quitte, elle veut renoncer,
Et du voile pompeux d'une haute sagesse
130 De ses attraits usés déguiser la faiblesse.
Ce sont là les retours des coquettes du temps.
Il leur est dur de voir déserter les galants.
Dans un tel abandon, leur sombre inquiétude
Ne voit d'autre recours que le métier de prude ;
135 Et la sévérité de ces femmes de bien
Censure toute chose, et ne pardonne à rien ;
Hautement d'un chacun elles blâment la vie,
Non point par charité, mais par un trait d'envie
Qui ne saurait souffrir* qu'une autre ait les plaisirs
140 Dont le penchant de l'âge a sevré leurs désirs.

MADAME PERNELLE

Voilà les contes bleus [1] qu'il vous faut pour vous plaire.
Ma bru, l'on est chez vous contrainte de se taire,
Car Madame à jaser tient le dé [2] tout le jour.
Mais enfin, je prétends discourir à mon tour.
145 Je vous dis que mon fils n'a rien fait de plus sage
Qu'en recueillant chez soi ce dévot personnage ;
Que le Ciel au besoin l'a céans* envoyé,
Pour redresser à tous votre esprit fourvoyé ;
Que pour votre salut vous le devez entendre,
150 Et qu'il ne reprend rien qui ne soit à reprendre.
Ces visites, ces bals, ces conversations
Sont du malin esprit [3] toutes inventions.
Là, jamais on n'entend de pieuses paroles,
Ce sont propos oisifs, chansons et fariboles ;
155 Bien souvent le prochain en a sa bonne part,

1. Histoires invraisemblables (l'adjectif « bleu » provenant de la couleur de la couverture de ces livres populaires que l'on achetait aux colporteurs), d'où : sornettes.
2. Se rend maître de la conversation, monopolise la parole.
3. Du diable.

Et l'on y sait médire et du tiers et du quart[1].
Enfin les gens sensés ont leurs têtes troublées
De la confusion de telles assemblées :
Mille caquets divers s'y font en moins de rien ;
160 Et comme l'autre jour un docteur* dit fort bien,
C'est véritablement la tour de Babylone[2],
Car chacun y babille, et tout du long de l'aune[3] ;
Et pour conter l'histoire où ce point l'engagea…
Voilà-t-il pas Monsieur[4] qui ricane déjà ?
165 Allez chercher vos fous qui vous donnent à rire ;
Et sans… Adieu, ma bru, je ne veux plus rien dire.
Sachez que pour céans* j'en rabats de moitié[5],
Et qu'il fera beau temps quand j'y mettrai le pied[6].

Donnant un soufflet à Flipote.

Allons, vous ; vous rêvez, et bayez aux corneilles.
170 Jour de Dieu ! je saurai vous frotter les oreilles ;
Marchons, gaupe[7], marchons.

Scène 2

CLÉANTE, DORINE

CLÉANTE

Je n'y veux point aller,
De peur qu'elle ne vînt encor me quereller,
Que cette bonne femme[8]…

---

1. Littéralement : du troisième et du quatrième. Il faut donc comprendre que l'on y sait médire de tout un chacun.
2. Mme Pernelle rapproche, en une fausse étymologie, le verbe « babiller » de la tour de Babylone, c'est-à-dire la tour de Babel (nom hébreu de Babylone).
3. Pour faire bonne mesure.
4. Cléante.
5. J'ai perdu la moitié de l'estime que j'avais pour vous.
6. Il s'écoulera du temps avant que j'y remette les pieds.
7. Salope, souillon.
8. Vieille femme.

DORINE

Ah ! certes, c'est dommage
Qu'elle ne vous ouît tenir un tel langage :
175 Elle vous dirait bien qu'elle vous trouve bon,
Et qu'elle n'est point d'âge à lui donner ce nom.

CLÉANTE

Comme elle s'est pour rien contre nous échauffée !
Et que de son Tartuffe elle paraît coiffée* !

DORINE

Oh ! vraiment tout cela n'est rien au prix [1] du fils,
180 Et si vous l'aviez vu, vous diriez : « C'est bien pis ! »
Nos troubles l'avaient mis sur le pied d'homme sage,
Et pour servir son prince il montra du courage ;
Mais il est devenu comme un homme hébété,
Depuis que de Tartuffe on le voit entêté.
185 Il l'appelle son frère, et l'aime dans son âme
Cent fois plus qu'il ne fait [2] mère, fils, fille, et femme.
C'est de tous ses secrets l'unique confident,
Et de ses actions le directeur* prudent.
Il le choie, il l'embrasse, et pour une maîtresse
190 On ne saurait, je pense, avoir plus de tendresse.
À table, au plus haut bout [3] il veut qu'il soit assis ;
Avec joie il l'y voit manger autant que six ;
Les bons morceaux de tout, il fait qu'on les lui cède ;
Et s'il vient à roter, il lui dit : « Dieu vous aide ! »

C'est une servante qui parle.

195 Enfin il en est fou ; c'est son tout, son héros ;
Il l'admire à tous coups, le cite à tout propos ;
Ses moindres actions lui semblent des miracles,
Et tous les mots qu'il dit sont pour lui des oracles.
Lui, qui connaît sa dupe et qui veut en jouir,

---

1. En comparaison.
2. Cent fois plus qu'il n'aime…
3. À la place d'honneur.

200 Par cent dehors fardés a l'art de l'éblouir [1] ;
Son cagotisme* en tire à toute heure des sommes,
Et prend droit de gloser sur tous tant que nous sommes.
Il n'est pas jusqu'au fat qui lui sert de garçon*
Qui ne se mêle aussi de nous faire leçon.
205 Il vient nous sermonner avec des yeux farouches,
Et jeter nos rubans, notre rouge et nos mouches.
Le traître, l'autre jour, nous rompit de ses mains
Un mouchoir* qu'il trouva dans une *Fleur des Saints* [2],
Disant que nous mêlions, par un crime effroyable,
210 Avec la sainteté les parures du diable.

Scène 3

ELMIRE, MARIANE, DAMIS, CLÉANTE, DORINE

ELMIRE

Vous êtes bienheureux de n'être point venu
Au discours qu'à la porte elle nous a tenu.
Mais j'ai vu mon mari ; comme il ne m'a point vue,
Je veux aller là-haut attendre sa venue.

CLÉANTE

215 Moi, je l'attends ici pour moins d'amusement*,
Et je vais lui donner le bonjour seulement.

DAMIS

De l'hymen* de ma sœur touchez-lui quelque chose.
J'ai soupçon que Tartuffe à son effet [3] s'oppose,
Qu'il oblige mon père à des détours si grands ;
220 Et vous n'ignorez pas quel intérêt j'y prends.
Si même ardeur* enflamme, et ma sœur, et Valère,
La sœur de cet ami, vous le savez, m'est chère ;

---

1. Le trompe par des apparences mensongères.
2. Ouvrage de piété du jésuite Ribadeneira. Son format et son poids en faisaient une presse commode.
3. À sa réalisation.

Et s'il fallait…

DORINE

Il entre.

Scène 4

ORGON, CLÉANTE, DORINE

ORGON

Ah ! mon frère, bonjour.

CLÉANTE

Je sortais, et j'ai joie à vous voir de retour.
25 La campagne à présent n'est pas beaucoup fleurie.

ORGON

Dorine… Mon beau-frère, attendez, je vous prie.
Vous voulez bien souffrir*, pour m'ôter de souci,
Que je m'informe un peu des nouvelles d'ici.
Tout s'est-il, ces deux jours, passé de bonne sorte ?
30 Qu'est-ce qu'on fait céans* ? comme est-ce qu'on s'y porte ?

DORINE

Madame eut avant-hier la fièvre jusqu'au soir,
Avec un mal de tête étrange à concevoir.

ORGON

Et Tartuffe ?

DORINE

Tartuffe ? Il se porte à merveille.
Gros et gras, le teint frais, et la bouche vermeille.

ORGON

35 Le pauvre homme !

DORINE

Le soir, elle eut un grand dégoût,
Et ne put au souper toucher à rien du tout,
Tant sa douleur de tête était encor cruelle !

ORGON

Et Tartuffe ?

DORINE

Il soupa, lui tout seul, devant elle,
Et fort dévotement il mangea deux perdrix,
240 Avec une moitié de gigot en hachis.

ORGON

Le pauvre homme !

DORINE

La nuit se passa tout entière
Sans qu'elle pût fermer un moment la paupière ;
Des chaleurs l'empêchaient de pouvoir sommeiller,
Et jusqu'au jour près d'elle il nous fallut veiller.

ORGON

245 Et Tartuffe ?

DORINE

Pressé d'un sommeil agréable,
Il passa dans sa chambre au sortir de la table,
Et dans son lit bien chaud il se mit tout soudain,
Où sans trouble il dormit jusques au lendemain.

ORGON

Le pauvre homme !

DORINE

À la fin, par nos raisons gagnée,
250 Elle se résolut à souffrir la saignée,
Et le soulagement suivit tout aussitôt.

ORGON

Et Tartuffe ?

DORINE

Il reprit courage comme il faut ;
Et contre tous les maux fortifiant son âme,
Pour réparer le sang qu'avait perdu Madame,
255 But à son déjeuner quatre grands coups de vin.

ORGON

Le pauvre homme !

DORINE

Tous deux se portent bien enfin ;
Et je vais à Madame annoncer par avance
La part que vous prenez à sa convalescence.

Scène 5

ORGON, CLÉANTE

CLÉANTE

À votre nez, mon frère, elle se rit de vous ;
260 Et sans avoir dessein de vous mettre en courroux,
Je vous dirai tout franc que c'est avec justice.
A-t-on jamais parlé d'un semblable caprice ?
Et se peut-il qu'un homme ait un charme* aujourd'hui
À vous faire oublier toutes choses pour lui ?
265 Qu'après avoir chez vous réparé [1] sa misère,
Vous en veniez au point…

ORGON

Halte-là, mon beau-frère :
Vous ne connaissez pas celui dont vous parlez.

1. Remédié à.

CLÉANTE

Je ne le connais pas, puisque vous le voulez ;
Mais enfin, pour savoir quel homme ce peut être…

ORGON

270 Mon frère, vous seriez charmé de le connaître,
Et vos ravissements ne prendraient point de fin.
C'est un homme… qui… ha… un homme… un homme enfin.
Qui suit bien ses leçons goûte une paix profonde,
Et comme du fumier regarde tout le monde.
275 Oui, je deviens tout autre avec son entretien ;
Il m'enseigne à n'avoir affection pour rien,
De toutes amitiés il détache mon âme ;
Et je verrais mourir frère, enfants, mère et femme,
Que je m'en soucierais autant que de cela.

CLÉANTE

280 Les sentiments humains, mon frère, que voilà !

ORGON

Ha ! si vous aviez vu comme j'en fis rencontre,
Vous auriez pris pour lui l'amitié que je montre.
Chaque jour à l'église il venait, d'un air doux,
Tout vis-à-vis de moi se mettre à deux genoux.
285 Il attirait les yeux de l'assemblée entière
Par l'ardeur dont au Ciel il poussait sa prière :
Il faisait des soupirs, de grands élancements,
Et baisait humblement la terre à tous moments ;
Et lorsque je sortais, il me devançait vite,
290 Pour m'aller à la porte offrir de l'eau bénite.
Instruit par son garçon*, qui dans tout l'imitait,
Et de son indigence, et de ce qu'il était,
Je lui faisais des dons ; mais avec modestie
Il me voulait toujours en rendre une partie.
295 « C'est trop, me disait-il, c'est trop de la moitié,
Je ne mérite pas de vous faire pitié » ;
Et quand je refusais de le vouloir reprendre,
Aux pauvres, à mes yeux, il allait le répandre.
Enfin le Ciel chez moi me le fit retirer,

300 Et depuis ce temps-là tout semble y prospérer.
Je vois qu'il reprend tout, et qu'à ma femme même
Il prend, pour mon honneur, un intérêt extrême ;
Il m'avertit des gens qui lui font les yeux doux,
Et plus que moi six fois il s'en montre jaloux.
305 Mais vous ne croiriez point jusqu'où monte son zèle* ;
Il s'impute à péché la moindre bagatelle* ;
Un rien presque suffit pour le scandaliser,
Jusque-là qu'il se vint l'autre jour accuser
D'avoir pris une puce en faisant sa prière,
310 Et de l'avoir tuée avec trop de colère.

CLÉANTE

Parbleu* ! vous êtes fou, mon frère, que je croi [1].
Avec de tels discours vous moquez-vous de moi ?
Et que prétendez-vous que tout ce badinage…

ORGON

Mon frère, ce discours sent le libertinage*.
315 Vous en êtes un peu dans votre âme entiché ;
Et comme je vous l'ai plus de dix fois prêché,
Vous vous attirerez quelque méchante affaire [2].

CLÉANTE

Voilà de vos pareils le discours ordinaire.
Ils veulent que chacun soit aveugle comme eux.
320 C'est être libertin* que d'avoir de bons yeux,
Et qui n'adore pas de vaines simagrées
N'a ni respect ni foi pour les choses sacrées.
Allez, tous vos discours ne me font point de peur ;
Je sais comme je parle, et le Ciel voit mon cœur.
325 De tous vos façonniers on n'est point les esclaves.
Il est de faux dévots ainsi que de faux braves ;
Et comme on ne voit pas qu'où l'honneur les conduit
Les vrais braves soient ceux qui font beaucoup de bruit,
Les bons et vrais dévots, qu'on doit suivre à la trace,

1. À ce que je crois.
2. Quelque punition.

330 Ne sont pas ceux aussi qui font tant de grimace.
Hé quoi ! vous ne ferez nulle distinction
Entre l'hypocrisie* et la dévotion ?
Vous les voulez traiter d'un semblable langage,
Et rendre même honneur au masque qu'au visage ?
335 Égaler l'artifice à la sincérité,
Confondre l'apparence avec la vérité,
Estimer le fantôme autant que la personne,
Et la fausse monnaie à l'égal de la bonne ?
Les hommes la plupart sont étrangement faits !
340 Dans la juste nature on ne les voit jamais.
La raison a pour eux des bornes trop petites.
En chaque caractère ils passent ses limites ;
Et la plus noble chose, ils la gâtent souvent
Pour la vouloir outrer et pousser trop avant.
345 Que cela vous soit dit en passant, mon beau-frère.

ORGON

Oui, vous êtes sans doute* un docteur* qu'on révère ;
Tout le savoir du monde est chez vous retiré ;
Vous êtes le seul sage et le seul éclairé,
Un oracle, un Caton [1] dans le siècle où nous sommes ;
350 Et près de vous ce sont des sots que tous les hommes.

CLÉANTE

Je ne suis point, mon frère, un docteur révéré,
Et le savoir chez moi n'est pas tout retiré.
Mais, en un mot, je sais, pour toute ma science,
Du faux avec le vrai faire la différence.
355 Et comme je ne vois nul genre de héros
Qui soient plus à priser que les parfaits dévots,
Aucune chose au monde et plus noble et plus belle
Que la sainte ferveur d'un véritable zèle*,
Aussi ne vois-je rien qui soit plus odieux
360 Que le dehors plâtré [2] d'un zèle spécieux,

---

1. Caton l'Ancien (234-149 avant J.-C.), modèle de vertu et de sagesse.
2. La fausse apparence.

Que ces francs charlatans, que ces dévots de place [1],
De qui la sacrilège et trompeuse grimace
Abuse impunément et se joue à leur gré
De ce qu'ont les mortels de plus saint et sacré.
365 Ces gens qui, par une âme à l'intérêt soumise,
Font de dévotion métier et marchandise,
Et veulent acheter crédit et dignités
À prix de faux clins d'yeux et d'élans affectés,
Ces gens, dis-je, qu'on voit d'une ardeur non commune
370 Par le chemin du Ciel courir à leur fortune,
Qui, brûlants et priants, demandent chaque jour,
Et prêchent la retraite au milieu de la cour,
Qui savent ajuster leur zèle* avec leurs vices,
Sont prompts, vindicatifs, sans foi [2], pleins d'artifices,
375 Et pour perdre quelqu'un couvrent insolemment
De l'intérêt du Ciel leur fier ressentiment,
D'autant plus dangereux dans leur âpre colère
Qu'ils prennent contre nous des armes qu'on révère,
Et que leur passion, dont on leur sait bon gré,
380 Veut nous assassiner avec un fer sacré.
De ce faux caractère [3] on en voit trop paraître ;
Mais les dévots de cœur sont aisés à connaître.
Notre siècle, mon frère, en expose à nos yeux
Qui peuvent nous servir d'exemples glorieux.
385 Regardez Ariston, regardez Périandre,
Oronte, Alcidamas, Polydore, Clitandre :
Ce titre par aucun ne leur est débattu ;
Ce ne sont point du tout fanfarons de vertu ;
On ne voit point en eux ce faste insupportable,
390 Et leur dévotion est humaine, est traitable.
Ils ne censurent point toutes nos actions,
Ils trouvent trop d'orgueil dans ces corrections,
Et laissant la fierté des paroles aux autres,
C'est par leurs actions qu'ils reprennent les nôtres.
395 L'apparence du mal a chez eux peu d'appui,

---

1. Personnes qui ne manifestent leur foi qu'en public.
2. Sans parole.
3. De ce caractère de fausseté.

Et leur âme est portée à juger bien d'autrui ;
Point de cabale en eux, point d'intrigues à suivre ;
On les voit, pour tous soins, se mêler de bien vivre.
Jamais contre un pécheur ils n'ont d'acharnement.
400 Ils attachent leur haine au péché seulement,
Et ne veulent point prendre, avec un zèle* extrême,
Les intérêts du Ciel plus qu'il ne veut lui-même.
Voilà mes gens ; voilà comme il en faut user,
Voilà l'exemple enfin qu'il se faut proposer.
405 Votre homme, à dire vrai, n'est pas de ce modèle ;
C'est de fort bonne foi que vous vantez son zèle,
Mais par un faux éclat je vous crois ébloui.

ORGON

Monsieur mon cher beau-frère, avez-vous tout dit ?

CLÉANTE

Oui.

ORGON

Je suis votre valet*. *(Il veut s'en aller.)*

CLÉANTE

De grâce, un mot, mon frère.
410 Laissons là ce discours. Vous savez que Valère
Pour être votre gendre a parole de vous ?

ORGON

Oui.

CLÉANTE

Vous aviez pris jour pour un lien si doux.

ORGON

Il est vrai.

CLÉANTE

Pourquoi donc en différer la fête ?

ORGON

Je ne sais.

CLÉANTE

Auriez-vous autre pensée en tête ?

ORGON

15 Peut-être.

CLÉANTE

Vous voulez manquer à votre foi ?

ORGON

Je ne dis pas cela.

CLÉANTE

Nul obstacle, je croi,
Ne vous peut empêcher d'accomplir vos promesses.

ORGON

Selon [1].

CLÉANTE

Pour dire un mot faut-il tant de finesses ?
Valère sur ce point me fait vous visiter.

ORGON

20 Le Ciel en soit loué !

CLÉANTE

Mais que lui reporter ?

ORGON

Tout ce qu'il vous plaira.

CLÉANTE

Mais il est nécessaire

1. C'est selon, cela dépend.

De savoir vos desseins. Quels sont-ils donc ?

ORGON

De faire

Ce que le Ciel voudra.

CLÉANTE

Mais parlons tout de bon.

Valère a votre foi. La tiendrez-vous, ou non ?

ORGON

425 Adieu.

CLÉANTE

Pour son amour je crains une disgrâce,

Et je dois l'avertir de tout ce qui se passe.

ACTE II

Scène première

ORGON, MARIANE

ORGON

Mariane.

MARIANE

Mon père.

ORGON

Approchez. J'ai de quoi

Vous parler en secret.

MARIANE

Que cherchez-vous ?

ORGON. *Il regarde dans un petit cabinet.*

Je vois

Si quelqu'un n'est point là qui pourrait nous entendre ;

430 Car ce petit endroit est propre pour surprendre.

Or sus*, nous voilà bien. J'ai, Mariane, en vous

Reconnu de tout temps un esprit assez doux ;

Et de tout temps aussi vous m'avez été chère.

MARIANE

Je suis fort redevable à cet amour de père.

ORGON

435 C'est fort bien dit, ma fille ; et pour le mériter,

Vous devez n'avoir soin que de me contenter.

MARIANE

C'est où je mets aussi ma gloire la plus haute.

ORGON

Fort bien. Que dites-vous de Tartuffe notre hôte ?

MARIANE

Qui, moi ?

ORGON

Vous. Voyez bien comme vous répondrez.

MARIANE

440 Hélas ! j'en dirai, moi, tout ce que vous voudrez.

ORGON

C'est parler sagement. Dites-moi donc, ma fille,
Qu'en toute sa personne un haut mérite brille,
Qu'il touche votre cœur, et qu'il vous serait doux
De le voir par mon choix devenir votre époux.
445 Eh ?

Mariane se recule avec surprise.

MARIANE

Eh ?

ORGON

Qu'est-ce ?

MARIANE

Plaît-il ?

ORGON

Quoi ?

MARIANE

Me suis-je méprise ?

ORGON

Comment ?

MARIANE

Qui voulez-vous, mon père, que je dise
Qui me touche le cœur, et qu'il me serait doux
De voir par votre choix devenir mon époux ?

ORGON

Tartuffe.

MARIANE

Il n'en est rien, mon père, je vous jure :
50 Pourquoi me faire dire une telle imposture ?

ORGON

Mais je veux que cela soit une vérité ;
Et c'est assez pour vous que je l'aie arrêté.

MARIANE

Quoi ? vous voulez, mon père…

ORGON

Oui, je prétends, ma fille,
Unir par votre hymen* Tartuffe à ma famille.
55 Il sera votre époux, j'ai résolu cela ;
Et comme sur vos vœux je…

Scène 2

DORINE, ORGON, MARIANE

ORGON

Que faites-vous là ?

La curiosité qui vous presse est bien forte,
Mamie*, à nous venir écouter de la sorte.

DORINE

Vraiment, je ne sais pas si c'est un bruit qui part
460 De quelque conjecture, ou d'un coup de hasard
Mais de ce mariage on m'a dit la nouvelle,
Et j'ai traité cela de pure bagatelle*.

ORGON

Quoi donc ? la chose est-elle incroyable ?

DORINE

À tel point,
Que vous-même, Monsieur, je ne vous en crois point.

ORGON

465 Je sais bien le moyen de vous le faire croire.

DORINE

Oui, oui, vous nous contez une plaisante histoire.

ORGON

Je conte justement ce qu'on verra dans peu.

DORINE

Chansons !

ORGON

Ce que je dis, ma fille, n'est point jeu.

DORINE

Allez, ne croyez point à Monsieur votre père,
470 Il raille.

ORGON

Je vous dis…

DORINE

Non, vous avez beau faire,
On ne vous croira point.

ORGON

À la fin mon courroux…

DORINE

Hé bien ! on vous croit donc, et c'est tant pis pour vous.
Quoi ! se peut-il, Monsieur, qu'avec l'air d'homme sage
Et cette large barbe au milieu du visage,
475 Vous soyez assez fou pour vouloir…

ORGON

Écoutez :
Vous avez pris céans* certaines privautés
Qui ne me plaisent point ; je vous le dis, mamie*.

DORINE

Parlons sans nous fâcher, Monsieur, je vous supplie.
Vous moquez-vous des gens d'avoir fait ce complot ?
480 Votre fille n'est point l'affaire d'un bigot.
Il a d'autres emplois auxquels il faut qu'il pense ;
Et puis, que vous apporte une telle alliance ?
À quel sujet aller, avec tout votre bien,
Choisir un gendre gueux*…

ORGON

Taisez-vous. S'il n'a rien,
485 Sachez que c'est par là qu'il faut qu'on le révère.
Sa misère est sans doute* une honnête misère.
Au-dessus des grandeurs elle doit l'élever,
Puisque enfin de son bien il s'est laissé priver
Par son trop peu de soin* des choses temporelles,
490 Et sa puissante attache aux choses éternelles.
Mais mon secours pourra lui donner les moyens
De sortir d'embarras et rentrer dans ses biens :
Ce sont fiefs qu'à bon titre au pays on renomme ;
Et tel que l'on le voit, il est bien gentilhomme.

DORINE

495 Oui, c'est lui qui le dit, et cette vanité,
Monsieur, ne sied pas bien avec la piété.
Qui d'une sainte vie embrasse l'innocence
Ne doit point tant prôner son nom et sa naissance ;
Et l'humble procédé* de la dévotion
500 Souffre mal les éclats de cette ambition.
À quoi bon cet orgueil... Mais ce discours vous blesse ;
Parlons de sa personne, et laissons sa noblesse.
Ferez-vous possesseur, sans quelque peu d'ennui*,
D'une fille comme elle un homme comme lui ?
505 Et ne devez-vous pas songer aux bienséances,
Et de cette union prévoir les conséquences ?
Sachez que d'une fille on risque la vertu,
Lorsque dans son hymen* son goût est combattu,
Que le dessein d'y vivre en honnête personne
510 Dépend des qualités du mari qu'on lui donne,
Et que ceux dont partout on montre au doigt le front [1]
Font leurs femmes souvent ce qu'on voit qu'elles sont.
Il est bien difficile enfin d'être fidèle
À de certains maris faits d'un certain modèle ;
515 Et qui donne à sa fille un homme qu'elle hait
Est responsable au Ciel des fautes qu'elle fait.
Songez à quels périls votre dessein vous livre.

ORGON

Je vous dis qu'il me faut apprendre d'elle à vivre.

DORINE

Vous n'en feriez que mieux de suivre mes leçons.

ORGON

520 Ne nous amusons point, ma fille, à ces chansons ;
Je sais ce qu'il vous faut, et je suis votre père.
J'avais donné pour vous ma parole à Valère ;
Mais outre qu'à jouer on dit qu'il est enclin,

---

1. C'est-à-dire les cocus.

Je le soupçonne encor d'être un peu libertin* ;
525 Je ne remarque point qu'il hante* les églises.

DORINE

Voulez-vous qu'il y coure à vos heures précises,
Comme ceux qui n'y vont que pour être aperçus ?

ORGON

Je ne demande pas votre avis là-dessus.
Enfin avec le Ciel l'autre est le mieux du monde,
530 Et c'est une richesse à nulle autre seconde,
Cet hymen* de tous biens comblera vos désirs,
Il sera tout confit en [1] douceurs et plaisirs.
Ensemble vous vivrez, dans vos ardeurs fidèles,
Comme deux vrais enfants, comme deux tourterelles.
535 À nul fâcheux débat jamais vous n'en viendrez,
Et vous ferez de lui tout ce que vous voudrez.

DORINE

Elle ? elle n'en fera qu'un sot*, je vous assure.

ORGON

Ouais ! quels discours !

DORINE

Je dis qu'il en a l'encolure [2],
Et que son ascendant, Monsieur, l'emportera
540 Sur toute la vertu que votre fille aura.

ORGON

Cessez de m'interrompre, et songez à vous taire,
Sans mettre votre nez où vous n'avez que faire.

---

1. Plein de.
2. Il en a l'air, l'apparence.

DORINE

Je n'en parle, Monsieur, que pour votre intérêt.

Elle l'interrompt toujours au moment qu'il se retourne pour parler à sa fille.

ORGON

C'est prendre trop de soin ; taisez-vous, s'il vous plaît.

DORINE

545 Si l'on ne vous aimait…

ORGON

Je ne veux pas qu'on m'aime.

DORINE

Et je veux vous aimer, Monsieur, malgré vous-même.

ORGON

Ah !

DORINE

Votre honneur m'est cher, et je ne puis souffrir*
Qu'aux brocards* d'un chacun vous alliez vous offrir.

ORGON

Vous ne vous tairez point ?

DORINE

C'est une conscience [1]
550 Que de vous laisser faire une telle alliance.

ORGON

Te tairas-tu, serpent, dont les traits effrontés…

DORINE

Ah ! vous êtes dévot, et vous vous emportez ?

---

1. Un cas de conscience, un problème moral.

ORGON

Oui, ma bile s'échauffe à toutes ces fadaises,
Et tout résolument je veux que tu te taises.

DORINE

555 Soit. Mais, ne disant mot, je n'en pense pas moins.

ORGON

Pense, si tu le veux ; mais applique tes soins
À ne m'en point parler, ou… Suffit.

Se retournant vers sa fille.

Comme sage,
J'ai pesé mûrement toutes choses.

DORINE

J'enrage
De ne pouvoir parler.

Elle se tait lorsqu'il tourne la tête.

ORGON

Sans être damoiseau*,
560 Tartuffe est fait de sorte…

DORINE

Oui, c'est un beau museau [1].

ORGON

Que quand tu n'aurais même aucune sympathie
Pour tous les autres dons…

Il se retourne devant elle, et la regarde les bras croisés.

DORINE

La voilà bien lotie.
Si j'étais en sa place, un homme assurément

1. Un homme qui se veut agréable (Dorine ironise).

Ne m'épouserait pas de force impunément ;
565 Et je lui ferais voir bientôt après la fête
Qu'une femme a toujours une vengeance prête.

ORGON

Donc de ce que je dis on ne fera nul cas ?

DORINE

De quoi vous plaignez-vous ? Je ne vous parle pas.

ORGON

Qu'est-ce que tu fais donc ?

DORINE

Je me parle à moi-même.

ORGON

570 Fort bien. Pour châtier son insolence extrême,
Il faut que je lui donne un revers de ma main.

Il se met en posture de lui donner un soufflet ; et Dorine, à chaque coup d'œil qu'il jette, se tient droite sans parler.

Ma fille, vous devez approuver mon dessein…
Croire que le mari… que j'ai su vous élire*…
Que ne te parles-tu ?

DORINE

Je n'ai rien à me dire.

ORGON

575 Encore un petit mot.

DORINE

Il ne me plaît pas, moi.

ORGON

Certes, je t'y guettais.

DORINE

Quelque sotte, ma foi [1].

ORGON

Enfin, ma fille, il faut payer d'obéissance,
Et montrer pour mon choix entière déférence.

DORINE, *en s'enfuyant.*

Je me moquerais fort de prendre un tel époux.

Il lui veut donner un soufflet et la manque.

ORGON

580 Vous avez là, ma fille, une peste avec vous,
Avec qui sans péché je ne saurais plus vivre.
Je me sens hors d'état maintenant de poursuivre ;
Ses discours insolents m'ont mis l'esprit en feu,
Et je vais prendre l'air pour me rasseoir* un peu.

Scène 3

DORINE, MARIANE

DORINE

585 Avez-vous donc perdu, dites-moi, la parole ?
Et faut-il qu'en ceci je fasse votre rôle ?
Souffrir* qu'on vous propose un projet insensé,
Sans que du moindre mot vous l'ayez repoussé !

MARIANE

Contre un père absolu* que veux-tu que je fasse ?

DORINE

590 Ce qu'il faut pour parer une telle menace.

---

1. Une sotte se parlerait à elle-même.

MARIANE

Quoi ?

DORINE

Lui dire qu'un cœur n'aime point par autrui,
Que vous vous mariez pour vous, non pas pour lui,
Qu'étant celle pour qui se fait toute l'affaire,
C'est à vous, non à lui, que le mari doit plaire,
595 Et que si son Tartuffe est pour lui si charmant,
Il le peut épouser sans nul empêchement.

MARIANE

Un père, je l'avoue, a sur nous tant d'empire
Que je n'ai jamais eu la force de rien dire.

DORINE

Mais raisonnons. Valère a fait pour vous des pas [1] ;
600 L'aimez-vous, je vous prie, ou ne l'aimez-vous pas ?

MARIANE

Ah ! qu'envers mon amour ton injustice est grande,
Dorine ! me dois-tu faire cette demande ?
T'ai-je pas là-dessus ouvert cent fois mon cœur,
Et sais-tu pas pour lui jusqu'où va mon ardeur ?

DORINE

605 Que sais-je si le cœur a parlé par la bouche,
Et si c'est tout de bon que cet amant vous touche ?

MARIANE

Tu me fais un grand tort, Dorine, d'en douter,
Et mes vrais sentiments ont su trop éclater.

DORINE

Enfin, vous l'aimez donc ?

---

1. Des démarches (les premiers pas).

MARIANE

Oui, d'une ardeur extrême.

DORINE

610 Et selon l'apparence il vous aime de même ?

MARIANE

Je le crois.

DORINE

Et tous deux brûlez également
De vous voir mariés ensemble ?

MARIANE

Assurément.

DORINE

Sur cette autre union quelle est donc votre attente ?

MARIANE

De me donner la mort si l'on me violente.

DORINE

615 Fort bien. C'est un recours où je ne songeais pas ;
Vous n'avez qu'à mourir pour sortir d'embarras ;
Le remède sans doute* est merveilleux. J'enrage
Lorsque j'entends tenir ces sortes de langage.

MARIANE

Mon Dieu ! de quelle humeur, Dorine, tu te rends !
620 Tu ne compatis point aux déplaisirs des gens.

DORINE

Je ne compatis point à qui dit des sornettes
Et dans l'occasion [1] mollit comme vous faites.

---

1. Au moment d'agir.

MARIANE

Mais que veux-tu ? si j'ai de la timidité.

DORINE

Mais l'amour dans un cœur veut de la fermeté.

MARIANE

625 Mais n'en gardé-je pas pour les feux* de Valère ?
Et n'est-ce pas à lui de m'obtenir d'un père ?

DORINE

Mais quoi ! si votre père est un bourru* fieffé,
Qui s'est de son Tartuffe entièrement coiffé*
Et manque à l'union qu'il avait arrêtée,
630 La faute à votre amant doit-elle être imputée ?

MARIANE

Mais par un haut refus et d'éclatants mépris
Ferai-je dans mon choix voir un cœur trop épris ?
Sortirai-je pour lui, quelque éclat dont il brille,
De la pudeur du sexe [1] et du devoir de fille ?
635 Et veux-tu que mes feux par le monde étalés…

DORINE

Non, non, je ne veux rien. Je vois que vous voulez
Être à Monsieur Tartuffe ; et j'aurais, quand j'y pense,
Tort de vous détourner d'une telle alliance.
Quelle raison aurais-je à combattre vos vœux ?
640 Le parti de soi-même est fort avantageux.
Monsieur Tartuffe ! oh ! oh ! n'est-ce rien qu'on propose ?
Certes, Monsieur Tartuffe, à bien prendre la chose,
N'est pas un homme, non, qui se mouche du pied [2],
Et ce n'est pas peu d'heur* que d'être sa moitié.
645 Tout le monde déjà de gloire le couronne,
Il est noble chez lui, bien fait de sa personne,
Il a l'oreille rouge et le teint bien fleuri ;

1. Du sexe féminin.
2. C'est-à-dire que Tartuffe est un homme habile.

Vous vivrez trop contente* avec un tel mari.

MARIANE

Mon Dieu !...

DORINE

Quelle allégresse aurez-vous dans votre âme,
650 Quand d'un époux si beau vous vous verrez la femme !

MARIANE

Ha ! cesse, je te prie, un semblable discours,
Et contre cet hymen* ouvre-moi du secours.
C'en est fait, je me rends, et suis prête à tout faire.

DORINE

Non, il faut qu'une fille obéisse à son père,
655 Voulût-il lui donner un singe pour époux.
Votre sort est fort beau, de quoi vous plaignez-vous ?
Vous irez par le coche en sa petite ville,
Qu'en oncles et cousins vous trouverez fertile ;
Et vous vous plairez fort à les entretenir.
660 D'abord* chez le beau monde on vous fera venir.
Vous irez visiter, pour votre bienvenue,
Madame la baillive et Madame l'élue [1],
Qui d'un siège pliant [2] vous feront honorer.
Là, dans le carnaval, vous pourrez espérer
665 Le bal et la grand-bande [3], à savoir deux musettes [4],
Et parfois Fagotin [5] et les marionnettes,
Si pourtant votre époux...

MARIANE

Ah ! tu me fais mourir.

---

1. Les épouses des administrateurs locaux.
2. Le siège pliant représente la place la plus humble, bien après le fauteuil et même le tabouret.
3. Les vingt-quatre violons du roi.
4. Instrument de la famille de la cornemuse.
5. Singe savant.

De tes conseils plutôt songe à me secourir.

DORINE

Je suis votre servante.

MARIANE

Eh ! Dorine, de grâce…

DORINE

670 Il faut, pour vous punir, que cette affaire passe [1].

MARIANE

Ma pauvre fille !

DORINE

Non.

MARIANE

Si mes vœux déclarés…

DORINE

Point, Tartuffe est votre homme, et vous en tâterez.

MARIANE

Tu sais qu'à toi toujours je me suis confiée.
Fais-moi…

DORINE

Non ; vous serez, ma foi ! tartuffiée.

MARIANE

675 Hé bien ! puisque mon sort ne saurait t'émouvoir,
Laisse-moi désormais toute à mon désespoir.
C'est de lui que mon cœur empruntera de l'aide,
Et je sais de mes maux l'infaillible remède.

Elle veut s'en aller.

---

1. Se réalise, se fasse.

DORINE

Hé ! là, là, revenez ; je quitte mon courroux.
680 Il faut, nonobstant* tout, avoir pitié de vous.

MARIANE

Vois-tu, si l'on m'expose à ce cruel martyre,
Je te le dis, Dorine, il faudra que j'expire.

DORINE

Ne vous tourmentez point ; on peut adroitement
Empêcher... Mais voici Valère, votre amant.

Scène 4

VALÈRE, MARIANE, DORINE

VALÈRE

685 On vient de débiter, Madame [1], une nouvelle
Que je ne savais pas, et qui sans doute* est belle.

MARIANE

Quoi ?

VALÈRE

Que vous épousez Tartuffe.

MARIANE

Il est certain
Que mon père s'est mis en tête ce dessein.

VALÈRE

Votre père, Madame...

MARIANE

A changé de visée :

1. Titre que l'on donne aux femmes bien nées, qu'elles soient ou non mariées.

690 La chose vient par lui de m'être proposée.

VALÈRE

Quoi ? sérieusement ?

MARIANE

Oui, sérieusement.

Il s'est pour cet hymen* déclaré hautement*.

VALÈRE

Et quel est le dessein où votre âme s'arrête,
Madame ?

MARIANE

Je ne sais.

VALÈRE

La réponse est honnête.

695 Vous ne savez ?

MARIANE

Non.

VALÈRE

Non ?

MARIANE

Que me conseillez-vous ?

VALÈRE

Je vous conseille, moi, de prendre cet époux.

MARIANE

Vous me le conseillez ?

VALÈRE

Oui.

MARIANE

Tout de bon ?

VALÈRE

Sans doute*.

Le choix est glorieux, et vaut bien qu'on l'écoute.

MARIANE

Hé bien ! c'est un conseil, Monsieur, que je reçois.

VALÈRE

700 Vous n'aurez pas grand-peine à le suivre, je crois.

MARIANE

Pas plus qu'à le donner en a souffert votre âme.

VALÈRE

Moi, je vous l'ai donné pour vous plaire, Madame.

MARIANE

Et moi, je le suivrai pour vous faire plaisir.

DORINE

Voyons ce qui pourra de ceci réussir [1].

VALÈRE

705 C'est donc ainsi qu'on aime ? Et c'était tromperie
Quand vous…

MARIANE

Ne parlons point de cela, je vous prie.
Vous m'avez dit tout franc que je dois accepter
Celui que pour époux on me veut présenter :
Et je déclare, moi, que je prétends le faire,
710 Puisque vous m'en donnez le conseil salutaire.

---

1. Voyons quelle sera l'issue de cet échange.

VALÈRE

Ne vous excusez point sur mes intentions[1].
Vous aviez pris déjà vos résolutions ;
Et vous vous saisissez d'un prétexte frivole
Pour vous autoriser à manquer de parole.

MARIANE

715 Il est vrai, c'est bien dit.

VALÈRE

Sans doute*, et votre cœur
N'a jamais eu pour moi de véritable ardeur*.

MARIANE

Hélas ! permis à vous[2] d'avoir cette pensée.

VALÈRE

Oui, oui, permis à moi ; mais mon âme offensée
Vous préviendra* peut-être en un pareil dessein ;
720 Et je sais où porter et mes vœux et ma main[3].

MARIANE

Ah ! je n'en doute point ; et les ardeurs qu'excite
Le mérite…

VALÈRE

Mon Dieu, laissons là le mérite ;
J'en ai fort peu sans doute, et vous en faites foi.
Mais j'espère aux bontés qu'une autre aura pour moi ;
725 Et j'en sais de qui l'âme, à ma retraite ouverte,
Consentira sans honte à réparer ma perte[4].

---

1. En prenant mes intentions comme prétexte.
2. Vous avez la permission de. L'expression a cependant une connotation négative et marque l'amertume, voire le mépris.
3. Je sais où chercher une épouse.
4. La perte de votre amour.

MARIANE

La perte n'est pas grande, et de ce changement
Vous vous consolerez assez facilement…

VALÈRE

J'y ferai mon possible, et vous le pouvez croire.
730 Un cœur qui nous oublie engage notre gloire [1].
Il faut à l'oublier mettre aussi tous nos soins.
Si l'on n'en vient à bout, on le doit feindre au moins ;
Et cette lâcheté jamais ne se pardonne,
De montrer de l'amour pour qui nous abandonne.

MARIANE

735 Ce sentiment, sans doute*, est noble et relevé.

VALÈRE

Fort bien ; et d'un chacun il doit être approuvé.
Hé quoi ! vous voudriez qu'à jamais dans mon âme
Je gardasse pour vous les ardeurs de ma flamme* ?
Et vous visse, à mes yeux, passer en d'autres bras,
740 Sans mettre ailleurs un cœur dont vous ne voulez pas ?

MARIANE

Au contraire, pour moi, c'est ce que je souhaite ;
Et je voudrais déjà que la chose fût faite.

VALÈRE

Vous le voudriez ?

MARIANE

Oui.

VALÈRE

C'est assez m'insulter,
Madame, et de ce pas je vais vous contenter*.

Il fait un pas pour s'en aller et revient toujours.

1. Notre honneur.

MARIANE

745 Fort bien.

VALÈRE

Souvenez-vous au moins que c'est vous-même
Qui contraignez mon cœur à cet effort extrême.

MARIANE

Oui.

VALÈRE

Et que le dessein que mon âme conçoit
N'est rien qu'à votre exemple.

MARIANE

À mon exemple, soit.

VALÈRE

Suffit ; vous allez être à point nommé servie.

MARIANE

750 Tant mieux.

VALÈRE

Vous me voyez, c'est pour toute ma vie [1].

MARIANE

À la bonne heure.

VALÈRE

Il s'en va, et, lorsqu'il est vers la porte, il se retourne.

Euh !

MARIANE

Quoi ?

1. C'est pour la dernière fois.

VALÈRE

Ne m'appelez-vous pas ?

MARIANE

Moi ? Vous rêvez.

VALÈRE

Hé bien ! je poursuis donc mes pas.
Adieu, Madame.

MARIANE

Adieu, Monsieur.

DORINE

Pour moi, je pense
Que vous perdez l'esprit par cette extravagance ;
755 Et je vous ai laissé tout du long quereller,
Pour voir où tout cela pourrait enfin aller.
Holà ! seigneur Valère.

Elle va l'arrêter par le bras, et lui fait mine de grande résistance.

VALÈRE

Hé ! que veux-tu, Dorine ?

DORINE

Venez ici.

VALÈRE

Non, non, le dépit me domine.
Ne me détourne point de ce qu'elle a voulu.

DORINE

760 Arrêtez.

VALÈRE

Non, vois-tu, c'est un point résolu.

DORINE

Ah !

MARIANE

Il souffre à me voir, ma présence le chasse ;
Et je ferai bien mieux de lui quitter* la place.

DORINE. *Elle quitte Valère et court à Mariane.*

À l'autre. Où courez-vous ?

MARIANE

Laisse.

DORINE

Il faut revenir.

MARIANE

Non, non, Dorine, en vain tu veux me retenir.

VALÈRE

765 Je vois bien que ma vue est pour elle un supplice ;
Et sans doute* il vaut mieux que je l'en affranchisse [1].

DORINE. *Elle quitte Mariane et court à Valère.*

Encor ? Diantre soit fait de vous si je le veux [2] !
Cessez ce badinage, et venez çà* tous deux.

Elle les tire l'un et l'autre.

VALÈRE

Mais quel est ton dessein ?

MARIANE

Qu'est-ce que tu veux faire ?

---

1. Que je la libère de ma vue.
2. Allez au diable si je vous laisse faire !

DORINE

770 Vous bien remettre ensemble, et vous tirer d'affaire.
Êtes-vous fou d'avoir un pareil démêlé ?

VALÈRE

N'as-tu pas entendu comme elle m'a parlé ?

DORINE

Êtes-vous folle, vous, de vous être emportée ?

MARIANE

N'as-tu pas vu la chose, et comme il m'a traitée ?

DORINE

775 Sottise des deux parts. Elle n'a d'autre soin*
Que de se conserver à vous, j'en suis témoin.
Il n'aime que vous seule, et n'a point d'autre envie
Que d'être votre époux ; j'en réponds sur ma vie.

MARIANE

Pourquoi donc me donner un semblable conseil ?

VALÈRE

780 Pourquoi m'en demander sur un sujet pareil ?

DORINE

Vous êtes fous tous deux. Çà*, la main l'un et l'autre.
Allons, vous.

VALÈRE, *en donnant sa main à Dorine.*

À quoi bon ma main ?

DORINE

Ah ! çà, la vôtre.

MARIANE, *en donnant aussi sa main.*

De quoi [1] sert tout cela ?

---

1. À quoi.

DORINE

Mon Dieu ! vite, avancez.
Vous vous aimez tous deux plus que vous ne pensez.

VALÈRE

785 Mais ne faites donc point les choses avec peine,
Et regardez un peu les gens sans nulle haine.

Mariane tourne l'œil sur Valère et fait un petit souris.*

DORINE

À vous dire le vrai, les amants sont bien fous !

VALÈRE

Ho çà*, n'ai-je pas lieu de me plaindre de vous ?
Et pour n'en point mentir, n'êtes-vous pas méchante
790 De vous plaire à me dire une chose affligeante ?

MARIANE

Mais vous, n'êtes-vous pas l'homme le plus ingrat…

DORINE

Pour une autre saison laissons tout ce débat,
Et songeons à parer [1] ce fâcheux mariage.

MARIANE

Dis-nous donc quels ressorts* il faut mettre en usage.

DORINE

795 Nous en ferons agir de toutes les façons.
Votre père se moque, et ce sont des chansons.
Mais pour vous, il vaut mieux qu'à son extravagance
D'un doux consentement vous prêtiez l'apparence,
Afin qu'en cas d'alarme il vous soit plus aisé
800 De tirer en longueur cet hymen* proposé.
En attrapant du temps, à tout on remédie.

---

1. Empêcher.

Tantôt vous payerez de* quelque maladie,
Qui viendra tout à coup et voudra des délais ;
Tantôt vous payerez de présages mauvais :
805 Vous aurez fait d'un mort la rencontre fâcheuse,
Cassé quelque miroir, ou songé* d'eau bourbeuse.
Enfin le bon de tout [1], c'est qu'à d'autres qu'à lui
On ne vous peut lier, que vous ne [2] disiez « oui ».
Mais pour mieux réussir, il est bon, ce me semble,
810 Qu'on ne vous trouve point tous deux parlant ensemble.

À Valère.

Sortez, et sans tarder employez vos amis
Pour vous faire tenir [3] ce qu'on vous a promis.
Nous allons réveiller les efforts de son frère,
Et dans notre parti jeter la belle-mère.
815 Adieu.

VALÈRE, *à Mariane.*

Quelques efforts que nous préparions tous,
Ma plus grande espérance, à vrai dire, est en vous.

MARIANE, *à Valère.*

Je ne vous réponds pas des volontés d'un père ;
Mais je ne serai point à d'autre qu'à Valère.

VALÈRE

Que vous me comblez d'aise ! Et quoi que puisse oser…

DORINE

820 Ah ! jamais les amants ne sont las de jaser.
Sortez, vous dis-je.

VALÈRE. *Il fait un pas et revient.*

Enfin…

---

1. Le meilleur, le plus important.
2. Sans que vous.
3. Obtenir.

DORINE

Quel caquet est le vôtre !
Tirez de cette part [1] ; et vous, tirez de l'autre.

Les poussant chacun par l'épaule.

1. Partez de ce côté.

ACTE III

Scène première

DAMIS, DORINE

DAMIS

Que la foudre sur l'heure achève mes destins,
Qu'on me traite partout du plus grand des faquins*,
825 S'il est aucun respect ni pouvoir qui m'arrête,
Et si je ne fais pas quelque coup de ma tête !

DORINE

De grâce, modérez un tel emportement,
Votre père n'a fait qu'en parler simplement :
On n'exécute pas tout ce qui se propose,
830 Et le chemin est long du projet à la chose.

DAMIS

Il faut que de ce fat j'arrête les complots,
Et qu'à l'oreille un peu je lui dise deux mots.

DORINE

Ha ! tout doux ; envers lui, comme envers votre père,
Laissez agir les soins de votre belle-mère.
835 Sur l'esprit de Tartuffe elle a quelque crédit ;
Il se rend complaisant à tout ce qu'elle dit,
Et pourrait bien avoir douceur de cœur pour elle.
Plût à Dieu qu'il[1] fût vrai ! la chose serait belle.
Enfin votre intérêt l'oblige à le mander ;

---

1. Que cela.

840 Sur l'hymen* qui vous trouble elle veut le sonder,
Savoir ses sentiments, et lui faire connaître
Quels fâcheux démêlés il pourra faire naître,
S'il faut qu'à ce dessein il prête quelque espoir.
Son valet dit qu'il prie, et je n'ai pu le voir ;
845 Mais ce valet m'a dit qu'il s'en allait descendre.
Sortez donc, je vous prie, et me laissez l'attendre.

DAMIS

Je puis être présent à tout cet entretien.

DORINE

Point, il faut qu'ils soient seuls.

DAMIS

Je ne lui dirai rien.

DORINE

Vous vous moquez ; on sait vos transports ordinaires,
850 Et c'est le vrai moyen de gâter les affaires.
Sortez.

DAMIS

Non : je veux voir, sans me mettre en courroux.

DORINE

Que vous êtes fâcheux ! Il vient ; retirez-vous.

Scène 2

TARTUFFE, LAURENT, DORINE

TARTUFFE, *apercevant Dorine.*

Laurent, serrez ma haire [1] avec ma discipline [2],

---

1. Vêtement de crin que certains religieux portaient à même la peau pour se mortifier.
2. Fouet de chaînes ou de cordes utilisé pour la mortification.

Et priez que toujours le Ciel vous illumine.
855 Si l'on vient pour me voir, je vais aux prisonniers
Des aumônes que j'ai partager les deniers.

DORINE

Que d'affectation et de forfanterie* !

TARTUFFE

Que voulez-vous ?

DORINE

Vous dire…

TARTUFFE. *Il tire un mouchoir de sa poche.*

Ah ! mon Dieu, je vous prie,
Avant que de parler prenez-moi ce mouchoir*.

DORINE

860 Comment ?

TARTUFFE

Couvrez ce sein que je ne saurais voir.
Par de pareils objets les âmes sont blessées,
Et cela fait venir de coupables pensées.

DORINE

Vous êtes donc bien tendre à la tentation,
Et la chair sur vos sens fait grande impression ?
865 Certes, je ne sais pas quelle chaleur vous monte :
Mais à convoiter, moi, je ne suis point si prompte ;
Et je vous verrais nu du haut jusques en bas,
Que toute votre peau ne me tenterait pas.

TARTUFFE

Mettez dans vos discours un peu de modestie,
870 Ou je vais sur-le-champ vous quitter la partie*.

DORINE

Non, non, c'est moi qui vais vous laisser en repos,

Et je n'ai seulement qu'à vous dire deux mots.
Madame va venir dans cette salle basse [1],
Et d'un mot d'entretien vous demande la grâce.

TARTUFFE

875 Hélas ! très volontiers.

DORINE, *en soi-même.*

Comme il se radoucit !
Ma foi, je suis toujours pour ce que j'en ai dit [2].

TARTUFFE

Viendra-t-elle bientôt ?

DORINE

Je l'entends, ce me semble.
Oui, c'est elle en personne, et je vous laisse ensemble.

Scène 3

ELMIRE, TARTUFFE

TARTUFFE

Que le Ciel à jamais par sa toute bonté
880 Et de l'âme et du corps vous donne la santé,
Et bénisse vos jours autant que le désire
Le plus humble de ceux que son amour inspire !

ELMIRE

Je suis fort obligée à ce souhait pieux ;
Mais prenons une chaise, afin d'être un peu mieux.

TARTUFFE

885 Comment de votre mal vous sentez-vous remise ?

---

1. Pièce située au rez-de-chaussée.
2. Dès la scène d'exposition (v. 82).

ELMIRE

Fort bien ; et cette fièvre a bientôt quitté prise.

TARTUFFE

Mes prières n'ont pas le mérite qu'il faut
Pour avoir attiré cette grâce d'en haut ;
Mais je n'ai fait au Ciel nulle dévote instance
890 Qui n'ait eu pour objet votre convalescence.

ELMIRE

Votre zèle* pour moi s'est trop inquiété.

TARTUFFE

On ne peut trop chérir votre chère santé,
Et pour la rétablir j'aurais donné la mienne.

ELMIRE

C'est pousser bien avant la charité chrétienne,
895 Et je vous dois beaucoup pour toutes ces bontés.

TARTUFFE

Je fais bien moins pour vous que vous ne méritez.

ELMIRE

J'ai voulu vous parler en secret d'une affaire,
Et suis bien aise ici qu'aucun ne nous éclaire.

TARTUFFE

J'en suis ravi de même ; et sans doute* il m'est doux,
900 Madame, de me voir seul à seul avec vous.
C'est une occasion qu'au Ciel j'ai demandée,
Sans que jusqu'à cette heure il me l'ait accordée.

ELMIRE

Pour moi, ce que je veux, c'est un mot d'entretien,
Où tout votre cœur s'ouvre et ne me cache rien.

TARTUFFE

905 Et je ne veux aussi pour grâce singulière

Que montrer à vos yeux mon âme tout entière,
Et vous faire serment que les bruits que j'ai faits
Des visites qu'ici reçoivent vos attraits
Ne sont pas envers vous l'effet d'aucune haine,
910 Mais plutôt d'un transport de zèle* qui m'entraîne,
Et d'un pur mouvement…

ELMIRE

Je le prends bien aussi,
Et crois que mon salut vous donne ce souci.

TARTUFFE. *Il lui serre le bout des doigts.*

Oui, Madame, sans doute* ; et ma ferveur est telle…

ELMIRE

Ouf ! vous me serrez trop.

TARTUFFE

C'est par excès de zèle.
915 De vous faire autre mal je n'eus jamais dessein,
Et j'aurais bien plutôt…

Il lui met la main sur le genou.

ELMIRE

Que fait là votre main ?

TARTUFFE

Je tâte votre habit ; l'étoffe en est moelleuse.

ELMIRE

Ah ! de grâce, laissez, je suis fort chatouilleuse.

Elle recule sa chaise, et Tartuffe rapproche la sienne.

TARTUFFE

Mon Dieu ! que de ce point l'ouvrage est merveilleux !
920 On travaille aujourd'hui d'un air* miraculeux ;
Jamais, en toute chose, on n'a vu si bien faire.

ELMIRE

Il est vrai. Mais parlons un peu de notre affaire.
On tient que mon mari veut dégager sa foi,
Et vous donner sa fille ; est-il vrai, dites-moi ?

TARTUFFE

925 Il m'en a dit deux mots ; mais, Madame, à vrai dire,
Ce n'est pas le bonheur après quoi je soupire ;
Et je vois autre part les merveilleux attraits
De la félicité qui fait tous mes souhaits.

ELMIRE

C'est que vous n'aimez rien des choses de la terre.

TARTUFFE

930 Mon sein n'enferme pas un cœur qui soit de pierre.

ELMIRE

Pour moi, je crois qu'au Ciel tendent tous vos soupirs,
Et que rien ici-bas n'arrête vos désirs.

TARTUFFE

L'amour qui nous attache aux beautés éternelles
N'étouffe pas en nous l'amour des temporelles.
935 Nos sens facilement peuvent être charmés
Des ouvrages parfaits que le Ciel a formés.
Ses attraits réfléchis brillent dans vos pareilles [1] ;
Mais il étale en vous ses plus rares merveilles.
Il a sur votre face épanché des beautés
940 Dont les yeux sont surpris, et les cœurs transportés,
Et je n'ai pu vous voir, parfaite créature,
Sans admirer en vous l'auteur de la nature,
Et d'une ardente amour sentir mon cœur atteint,
Au plus beau des portraits où lui-même il s'est peint.
945 D'abord*, j'appréhendai que cette ardeur secrète
Ne fût du noir esprit [2] une surprise adroite ;

1. Les attraits du Ciel se retrouvent dans la beauté féminine.
2. Du diable.

Et même à fuir vos yeux mon cœur se résolut,
Vous croyant un obstacle à faire mon salut.
Mais enfin je connus, ô beauté toute aimable,
950 Que cette passion peut n'être point coupable,
Que je puis l'ajuster avecque la pudeur,
Et c'est ce qui m'y fait abandonner mon cœur.
Ce m'est, je le confesse, une audace bien grande
Que d'oser de ce cœur vous adresser l'offrande ;
955 Mais j'attends en mes vœux tout de votre bonté,
Et rien des vains efforts de mon infirmité.
En vous est mon espoir, mon bien, ma quiétude :
De vous dépend ma peine ou ma béatitude ;
Et je vais être enfin, par votre seul arrêt,
960 Heureux, si vous voulez, malheureux, s'il vous plaît.

ELMIRE

La déclaration est tout à fait galante,
Mais elle est, à vrai dire, un peu bien surprenante.
Vous deviez, ce me semble, armer mieux votre sein,
Et raisonner un peu sur un pareil dessein.
965 Un dévot comme vous, et que partout on nomme…

TARTUFFE

Ah ! pour être dévot, je n'en suis pas moins homme [1] ;
Et lorsqu'on vient à voir vos célestes appas,
Un cœur se laisse prendre, et ne raisonne pas.
Je sais qu'un tel discours de moi paraît étrange ;
970 Mais, Madame, après tout, je ne suis pas un ange ;
Et si vous condamnez l'aveu que je vous fais,
Vous devez vous en prendre à vos charmants attraits.
Dès que j'en vis briller la splendeur plus qu'humaine,
De mon intérieur [2] vous fûtes souveraine.

---

1. L'idée de ce vers bien connu provient de Boccace (voir le chapitre 3 du dossier, p. 167-168) ; quant à la forme, Molière l'a sans doute empruntée à Corneille qui, dans *Sertorius*, faisait dire au personnage éponyme : « Ah ! pour être Romain, je n'en suis pas moins homme » (acte IV, scène 1, v. 1194).

2. De mon âme.

975 De vos regards divins l'ineffable douceur
Força la résistance où s'obstinait mon cœur ;
Elle surmonta tout, jeûnes, prières, larmes,
Et tourna tous mes vœux du côté de vos charmes.
Mes yeux et mes soupirs vous l'ont dit mille fois ;
980 Et pour mieux m'expliquer j'emploie ici la voix.
Que si vous contemplez d'une âme un peu bénigne
Les tribulations de votre esclave indigne,
S'il faut que vos bontés veuillent me consoler
Et jusqu'à mon néant daignent se ravaler,
985 J'aurai toujours pour vous, ô suave merveille,
Une dévotion à nulle autre pareille.
Votre honneur avec moi ne court point de hasard [1],
Et n'a nulle disgrâce à craindre de ma part.
Tous ces galants de cour, dont les femmes sont folles,
990 Sont bruyants dans leurs faits et vains dans leurs paroles.
De leurs progrès sans cesse on les voit se targuer ;
Ils n'ont point de faveurs qu'ils n'aillent divulguer,
Et leur langue indiscrète, en qui l'on se confie,
Déshonore l'autel [2] où leur cœur sacrifie.
995 Mais les gens comme nous brûlent d'un feu* discret,
Avec qui pour toujours on est sûr du secret.
Le soin* que nous prenons de notre renommée
Répond de toute chose à la personne aimée ;
Et c'est en nous qu'on trouve, acceptant notre cœur,
1000 De l'amour sans scandale et du plaisir sans peur.

ELMIRE

Je vous écoute dire, et votre rhétorique
En termes assez forts à mon âme s'explique.
N'appréhendez-vous point que je ne sois d'humeur
À dire à mon mari cette galante ardeur* ?
1005 Et que le prompt avis [3] d'un amour de la sorte
Ne pût bien altérer l'amitié qu'il vous porte ?

---

1. De risque.
2. La femme aimée.
3. L'aveu.

TARTUFFE

Je sais que vous avez trop de bénignité,
Et que vous ferez grâce à ma témérité,
Que vous m'excuserez sur [1] l'humaine faiblesse
1010 Des violents transports d'un amour qui vous blesse,
Et considérerez, en regardant votre air,
Que l'on n'est pas aveugle, et qu'un homme est de chair.

ELMIRE

D'autres prendraient cela d'autre façon peut-être ;
Mais ma discrétion se veut faire paraître.
1015 Je ne redirai point l'affaire à mon époux ;
Mais je veux en revanche une chose de vous :
C'est de presser tout franc et sans nulle chicane
L'union de Valère avecque Mariane,
De renoncer vous-même à l'injuste pouvoir
1020 Qui veut du bien d'un autre enrichir votre espoir,
Et…

Scène 4

DAMIS, ELMIRE, TARTUFFE

DAMIS, *sortant du petit cabinet où il s'était retiré.*

Non, Madame, non ; ceci doit se répandre.
J'étais en cet endroit, d'où j'ai pu tout entendre ;
Et la bonté du Ciel m'y semble avoir conduit
Pour confondre l'orgueil d'un traître qui me nuit,
1025 Pour m'ouvrir une voie à prendre la vengeance [2]
De son hypocrisie* et de son insolence,
À détromper mon père, et lui mettre en plein jour
L'âme d'un scélérat qui vous parle d'amour.

ELMIRE

Non, Damis : il suffit qu'il se rende plus sage,

1. En vous fondant sur.
2. Pour me fournir le moyen de me venger.

1030 Et tâche à mériter la grâce où je m'engage.
Puisque je l'ai promis, ne m'en dédites pas.
Ce n'est point mon humeur de faire des éclats ;
Une femme se rit de sottises pareilles,
Et jamais d'un mari n'en trouble les oreilles.

DAMIS

1035 Vous avez vos raisons pour en user ainsi,
Et pour faire autrement j'ai les miennes aussi.
Le vouloir épargner est une raillerie ;
Et l'insolent orgueil de sa cagoterie*
N'a triomphé que trop de mon juste courroux,
1040 Et que trop excité de désordre chez nous.
Le fourbe trop longtemps a gouverné mon père,
Et desservi mes feux* avec ceux de Valère.
Il faut que du perfide il soit désabusé,
Et le Ciel pour cela m'offre un moyen aisé.
1045 De cette occasion je lui suis redevable,
Et pour la négliger, elle est trop favorable.
Ce serait mériter qu'il me la vînt ravir
Que de l'avoir en main et ne m'en pas servir.

ELMIRE

Damis…

DAMIS

Non, s'il vous plaît, il faut que je me croie.
1050 Mon âme est maintenant au comble de sa joie ;
Et vos discours en vain prétendent m'obliger
À quitter* le plaisir de me pouvoir venger.
Sans aller plus avant, je vais vuider* d'affaire [1] ;
Et voici justement de quoi me satisfaire.

1. Régler l'affaire.

Scène 5

ORGON, DAMIS, TARTUFFE, ELMIRE

DAMIS

1055 Nous allons régaler, mon père, votre abord*
D'un incident tout frais qui vous surprendra fort.
Vous êtes bien payé de toutes vos caresses*,
Et Monsieur d'un beau prix reconnaît vos tendresses.
Son grand zèle* pour vous vient de se déclarer.
1060 Il ne va pas à moins qu'à vous déshonorer ;
Et je l'ai surpris là qui faisait à Madame
L'injurieux aveu d'une coupable flamme.
Elle est d'une humeur douce, et son cœur trop discret
Voulait à toute force en garder le secret ;
1065 Mais je ne puis flatter une telle impudence,
Et crois que vous la taire est vous faire une offense.

ELMIRE

Oui, je tiens que jamais de tous ces vains propos
On ne doit d'un mari traverser le repos,
Que ce n'est point de là que l'honneur peut dépendre,
1070 Et qu'il suffit pour nous [1] de savoir nous défendre.
Ce sont mes sentiments ; et vous n'auriez rien dit,
Damis, si j'avais eu sur vous quelque crédit.

Scène 6

ORGON, DAMIS, TARTUFFE

ORGON

Ce que je viens d'entendre, ô Ciel ! est-il croyable ?

TARTUFFE

Oui, mon frère, je suis un méchant, un coupable,
1075 Un malheureux pécheur, tout plein d'iniquité,

1. Pour les femmes.

Le plus grand scélérat qui jamais ait été ;
Chaque instant de ma vie est chargé de souillures ;
Elle n'est qu'un amas de crimes et d'ordures ;
Et je vois que le Ciel, pour ma punition,
)80 Me veut mortifier en cette occasion.
De quelque grand forfait qu'on me puisse reprendre,
Je n'ai garde d'avoir l'orgueil de m'en défendre.
Croyez ce qu'on vous dit, armez votre courroux,
Et comme un criminel chassez-moi de chez vous.
085 Je ne saurais avoir tant de honte en partage,
Que je n'en aie encor mérité davantage.

ORGON, *à son fils.*

Ah ! traître, oses-tu bien par cette fausseté
Vouloir de sa vertu ternir la pureté ?

DAMIS

Quoi ! la feinte douceur de cette âme hypocrite
)90 Vous fera démentir…

ORGON

Tais-toi, peste maudite.

TARTUFFE

Ah ! laissez-le parler : vous l'accusez à tort,
Et vous ferez bien mieux de croire à son rapport.
Pourquoi sur un tel fait m'être si favorable ?
Savez-vous, après tout, de quoi je suis capable ?
095 Vous fiez-vous, mon frère, à mon extérieur ?
Et, pour tout ce qu'on voit, me croyez-vous meilleur ?
Non, non, vous vous laissez tromper à l'apparence,
Et je ne suis rien moins, hélas ! que ce qu'on pense.
Tout le monde me prend pour un homme de bien ;
100 Mais la vérité pure est que je ne vaux rien.

S'adressant à Damis.

Oui, mon cher fils, parlez, traitez-moi de perfide,
D'infâme, de perdu, de voleur, d'homicide.
Accablez-moi de noms encor plus détestés.

Je n'y contredis point, je les ai mérités,
1105 Et j'en veux à genoux souffrir* l'ignominie,
Comme une honte due aux crimes de ma vie.

ORGON, *à Tartuffe.*

Mon frère, c'en est trop.

À son fils.

Ton cœur ne se rend point,
Traître ?

DAMIS

Quoi ! ses discours vous séduiront au point…

ORGON

Tais-toi, pendard.

À Tartuffe.

Mon frère, eh ! levez-vous, de grâce !

À son fils.

1110 Infâme !

DAMIS

Il peut…

ORGON

Tais-toi.

DAMIS

J'enrage ! Quoi ! je passe…

ORGON

Si tu dis un seul mot, je te romprai les bras.

TARTUFFE

Mon frère, au nom de Dieu, ne vous emportez pas.
J'aimerais mieux souffrir la peine la plus dure

Qu'il eût reçu [1] pour moi la moindre égratignure.

ORGON

À son fils.

1115 Ingrat !

TARTUFFE

Laissez-le en [2] paix. S'il faut à deux genoux
Vous demander sa grâce…

ORGON, *à Tartuffe.*

Hélas ! vous moquez-vous ?

À son fils.

Coquin ! vois sa bonté.

DAMIS

Donc…

ORGON

Paix.

DAMIS

Quoi ! je…

ORGON

Paix, dis-je.

Je sais bien quel motif à l'attaquer t'oblige.
Vous le haïssez tous ; et je vois aujourd'hui
1120 Femme, enfants et valets déchaînés contre lui.
On met impudemment toute chose en usage,
Pour ôter de chez moi ce dévot personnage.
Mais plus on fait d'effort afin de l'en bannir,
Plus j'en veux employer à l'y mieux retenir ;
1125 Et je vais me hâter de lui donner ma fille,

1. Plutôt qu'il eût reçu.
2. Synérèse : il faut prononcer « laissez l'en paix ».

Pour confondre l'orgueil de toute ma famille.

DAMIS

À recevoir sa main on pense l'obliger ?

ORGON

Oui, traître, et dès ce soir, pour vous faire enrager.
Ah ! je vous brave tous, et vous ferai connaître
1130 Qu'il faut qu'on m'obéisse et que je suis le maître.
Allons, qu'on se rétracte, et qu'à l'instant, fripon,
On se jette à ses pieds pour demander pardon.

DAMIS

Qui, moi ? de ce coquin, qui par ses impostures…

ORGON

Ah ! tu résistes, gueux*, et lui dis des injures ?
1135 Un bâton ! un bâton !

À Tartuffe.

Ne me retenez pas.

À son fils.

Sus*, que de ma maison on sorte de ce pas,
Et que d'y revenir on n'ait jamais l'audace.

DAMIS

Oui, je sortirai ; mais…

ORGON

Vite, quittons la place*.
Je te prive, pendard, de ma succession,
1140 Et te donne de plus ma malédiction.

Scène 7

ORGON, TARTUFFE

ORGON

Offenser de la sorte une sainte personne !

TARTUFFE

Ô Ciel ! pardonne-lui la douleur qu'il me donne.

À Orgon.

Si vous pouviez savoir avec quel déplaisir
Je vois qu'envers mon frère on tâche à me noircir…

ORGON

1145 Hélas !

TARTUFFE

Le seul penser de cette ingratitude
Fait souffrir à mon âme un supplice si rude…
L'horreur que j'en conçois… J'ai le cœur si serré
Que je ne puis parler, et crois que j'en mourrai.

ORGON

Il court tout en larmes à la porte par où il a chassé son fils.

Coquin ! je me repens que ma main t'ait fait grâce,
1150 Et ne t'ait pas d'abord* assommé sur la place.
Remettez-vous, mon frère, et ne vous fâchez pas.

TARTUFFE

Rompons, rompons le cours [1] de ces fâcheux débats.
Je regarde céans* quels grands troubles j'apporte,
Et crois qu'il est besoin, mon frère, que j'en sorte.

---

1. Mettons fin à.

ORGON

1155 Comment ? vous moquez-vous ?

TARTUFFE

On m'y hait, et je vois
Qu'on cherche à vous donner des soupçons de ma foi.

ORGON

Qu'importe ? Voyez-vous que mon cœur les écoute ?

TARTUFFE

On ne manquera pas de poursuivre, sans doute* ;
Et ces mêmes rapports qu'ici vous rejetez
1160 Peut-être une autre fois seront-ils écoutés.

ORGON

Non, mon frère, jamais.

TARTUFFE

Ah ! mon frère, une femme
Aisément d'un mari peut bien surprendre l'âme.

ORGON

Non, non.

TARTUFFE

Laissez-moi vite, en m'éloignant d'ici,
Leur ôter tout sujet de m'attaquer ainsi.

ORGON

1165 Non, vous demeurerez ; il y va de ma vie.

TARTUFFE

Hé bien ! il faudra donc que je me mortifie.
Pourtant, si vous vouliez...

ORGON

Ah !

TARTUFFE

Soit : n'en parlons plus.
Mais je sais comme il faut en user là-dessus.
L'honneur est délicat, et l'amitié m'engage
1170 À prévenir* les bruits et les sujets d'ombrage.
Je fuirai votre épouse, et vous ne me verrez...

ORGON

Non, en dépit de tous, vous la fréquenterez.
Faire enrager le monde est ma plus grande joie,
Et je veux qu'à toute heure avec elle on vous voie.
1175 Ce n'est pas tout encor ; pour les mieux braver tous,
Je ne veux point avoir d'autre héritier que vous ;
Et je vais de ce pas, en fort bonne manière,
Vous faire de mon bien donation entière.
Un bon et franc ami, que pour gendre je prends,
1180 M'est bien plus cher que fils, que femme, et que parents.
N'accepterez-vous pas ce que je vous propose ?

TARTUFFE

La volonté du Ciel soit faite en toute chose.

ORGON

Le pauvre homme ! Allons vite en dresser un écrit,
Et que puisse l'envie [1] en crever de dépit !

---

1. Les envieux.

ACTE IV

Scène première

CLÉANTE, TARTUFFE

CLÉANTE

1185 Oui, tout le monde en parle, et vous m'en pouvez croire.
L'éclat que fait ce bruit n'est point à votre gloire ;
Et je vous ai trouvé, Monsieur, fort à propos,
Pour vous en dire net ma pensée en deux mots.
Je n'examine point à fond ce qu'on expose,
1190 Je passe là-dessus, et prends au pis la chose [1].
Supposons que Damis n'en ait pas bien usé,
Et que ce soit à tort qu'on vous ait accusé :
N'est-il pas d'un chrétien de pardonner l'offense,
Et d'éteindre en son cœur tout désir de vengeance ?
1195 Et devez-vous souffrir*, pour votre démêlé,
Que du logis d'un père un fils soit exilé ?
Je vous le dis encore, et parle avec franchise,
Il n'est petit ni grand qui ne s'en scandalise ;
Et si vous m'en croyez, vous pacifierez tout,
1200 Et ne pousserez point les affaires à bout.
Sacrifiez à Dieu toute votre colère,
Et remettez le fils en grâce avec le père.

TARTUFFE

Hélas ! je le voudrais, quant à moi, de bon cœur ;
Je ne garde pour lui, Monsieur, aucune aigreur ;

---

1. Je prends la chose au pire, c'est-à-dire : je l'examine sous son aspect le plus fâcheux.

1205 Je lui pardonne tout, de rien je ne le blâme,
Et voudrais le servir du meilleur de mon âme ;
Mais l'intérêt du Ciel n'y saurait consentir,
Et s'il rentre céans*, c'est à moi d'en sortir.
Après son action, qui n'eut jamais d'égale,
1210 Le commerce [1] entre nous porterait du scandale :
Dieu sait ce que d'abord* tout le monde en croirait ;
À pure politique* on me l'imputerait ;
Et l'on dirait partout que, me sentant coupable,
Je feins pour qui m'accuse un zèle charitable,
1215 Que mon cœur l'appréhende et veut le ménager,
Pour le pouvoir sous main au silence engager.

CLÉANTE

Vous nous payez* ici d'excuses colorées*,
Et toutes vos raisons, Monsieur, sont trop tirées [2].
Des intérêts du Ciel pourquoi vous chargez-vous ?
1220 Pour punir le coupable a-t-il besoin de nous ?
Laissez-lui, laissez-lui le soin de ses vengeances,
Ne songez qu'au pardon qu'il prescrit des offenses ;
Et ne regardez point aux jugements humains,
Quand vous suivez du Ciel les ordres souverains.
1225 Quoi ! le faible intérêt de ce qu'on pourra croire
D'une bonne action empêchera la gloire ?
Non, non, faisons toujours ce que le Ciel prescrit,
Et d'aucun autre soin ne nous brouillons l'esprit.

TARTUFFE

Je vous ai déjà dit que mon cœur lui pardonne,
1230 Et c'est faire, Monsieur, ce que le Ciel ordonne ;
Mais après le scandale et l'affront d'aujourd'hui,
Le Ciel n'ordonne pas que je vive avec lui.

CLÉANTE

Et vous ordonne-t-il, Monsieur, d'ouvrir l'oreille
À ce qu'un pur caprice à son père conseille ?

---

1. Les relations.
2. Spécieuses, alambiquées.

1235 Et d'accepter le don qui vous est fait d'un bien
Où le droit vous oblige à ne prétendre rien ?

TARTUFFE

Ceux qui me connaîtront n'auront pas la pensée
Que ce soit un effet d'une âme intéressée.
Tous les biens de ce monde ont pour moi peu d'appas,
1240 De leur éclat trompeur je ne m'éblouis pas ;
Et si je me résous à recevoir du père
Cette donation qu'il a voulu me faire,
Ce n'est, à dire vrai, que parce que je crains
Que tout ce bien ne tombe en de méchantes mains,
1245 Qu'il ne trouve des gens qui, l'ayant en partage,
En fassent dans le monde un criminel usage,
Et ne s'en servent pas, ainsi que j'ai dessein,
Pour la gloire du Ciel et le bien du prochain [1].

CLÉANTE

Eh, Monsieur, n'ayez point ces délicates craintes,
1250 Qui d'un juste héritier peuvent causer les plaintes.
Souffrez*, sans vous vouloir embarrasser de rien,
Qu'il soit à ses périls possesseur de son bien ;
Et songez qu'il vaut mieux encor qu'il en mésuse
Que si de l'en frustrer il faut qu'on vous accuse.
1255 J'admire* seulement que sans confusion
Vous en ayez souffert la proposition :
Car enfin le vrai zèle* a-t-il quelque maxime
Qui montre à dépouiller l'héritier légitime ?
Et s'il faut que le Ciel dans votre cœur ait mis
1260 Un invincible obstacle à vivre avec Damis,
Ne vaudrait-il pas mieux qu'en personne discrète
Vous fissiez de céans* une honnête retraite
Que de souffrir ainsi, contre toute raison,
Qu'on en chasse pour vous le fils de la maison ?
1265 Croyez-moi, c'est donner de votre prud'homie*,
Monsieur…

---

1. Cette formule constitue la devise de la Compagnie du Saint-Sacrement.

TARTUFFE

Il est, Monsieur, trois heures et demie[1] ;
Certain devoir pieux me demande là-haut,
Et vous m'excuserez de vous quitter si tôt.

CLÉANTE

Ah !

Scène 2

ELMIRE, MARIANE, DORINE, CLÉANTE

DORINE

De grâce, avec nous employez-vous pour elle.
1270 Monsieur, son âme souffre une douleur mortelle ;
Et l'accord que son père a conclu pour ce soir
La fait, à tous moments, entrer en désespoir.
Il va venir ; joignons nos efforts, je vous prie,
Et tâchons d'ébranler, de force ou d'industrie[2],
1275 Ce malheureux dessein qui nous a tous troublés.

Scène 3

ORGON, ELMIRE, MARIANE, CLÉANTE, DORINE

ORGON

Ha ! je me réjouis de vous voir assemblés :

À Mariane.

Je porte en ce contrat[3] de quoi vous faire rire,
Et vous savez déjà ce que cela veut dire.

---

1. L'heure des vêpres, office du soir (none étant l'office de l'après-midi et complies le dernier office de la journée).
2. Par la ruse.
3. Orgon apporte le contrat du mariage entre Tartuffe et Mariane.

MARIANE, *à genoux.*

Mon père, au nom du Ciel, qui connaît ma douleur,
1280 Et par tout ce qui peut émouvoir votre cœur,
Relâchez-vous un peu des droits de la naissance [1],
Et dispensez mes vœux de cette obéissance.
Ne me réduisez point par cette dure loi
Jusqu'à me plaindre au Ciel de ce que je vous dois,
1285 Et cette vie, hélas ! que vous m'avez donnée,
Ne me la rendez pas, mon père, infortunée.
Si, contre un doux espoir que j'avais pu former,
Vous me défendez d'être à ce que [2] j'ose aimer,
Au moins, par vos bontés, qu'à vos genoux j'implore,
1290 Sauvez-moi du tourment d'être à ce que j'abhorre,
Et ne me portez point à quelque désespoir,
En vous servant sur moi de tout votre pouvoir.

ORGON, *se sentant attendrir.*

Allons, ferme, mon cœur, point de faiblesse humaine.

MARIANE

Vos tendresses pour lui [3] ne me font point de peine ;
1295 Faites-les éclater, donnez-lui votre bien,
Et, si ce n'est assez, joignez-y tout le mien ;
J'y consens de bon cœur, et je vous l'abandonne ;
Mais au moins n'allez pas jusques à ma personne,
Et souffrez qu'un couvent dans les austérités
1300 Use les tristes jours que le Ciel m'a comptés.

ORGON

Ah ! voilà justement de mes religieuses,
Lorsqu'un père combat leurs flammes amoureuses.
Debout ! Plus votre cœur répugne à l'accepter,
Plus ce sera pour vous matière à mériter :
1305 Mortifiez vos sens avec ce mariage,
Et ne me rompez pas la tête davantage.

---

1. Ici : les droits qu'un père a sur ses enfants.
2. À celui que (de même au vers 1290).
3. Tartuffe.

DORINE

Mais quoi…

ORGON

Taisez-vous, vous. Parlez à votre écot [1] ;
Je vous défends tout net d'oser dire un seul mot.

CLÉANTE

Si par quelque conseil vous souffrez* qu'on réponde…

ORGON

1310 Mon frère, vos conseils sont les meilleurs du monde,
Ils sont bien raisonnés, et j'en fais un grand cas ;
Mais vous trouverez bon que je n'en use pas.

ELMIRE, *à son mari.*

À voir ce que je vois, je ne sais plus que dire,
Et votre aveuglement fait que je vous admire*.
1315 C'est être bien coiffé*, bien prévenu de lui [2],
Que de nous démentir sur le fait d'aujourd'hui.

ORGON

Je suis votre valet*, et crois les apparences.
Pour mon fripon de fils je sais vos complaisances
Et vous avez eu peur de le désavouer
1320 Du trait qu'à ce pauvre homme il a voulu jouer.
Vous étiez trop tranquille enfin pour être crue,
Et vous auriez paru d'autre manière émue.

ELMIRE

Est-ce qu'au simple aveu d'un amoureux transport
Il faut que notre honneur [3] se gendarme si fort ?
1325 Et ne peut-on répondre à tout ce qui le touche
Que le feu dans les yeux et l'injure à la bouche ?
Pour moi, de tels propos je me ris simplement,

1. Parlez à vos semblables.
2. En sa faveur.
3. L'honneur des femmes.

Et l'éclat là-dessus ne me plaît nullement ;
J'aime qu'avec douceur nous nous montrions sages,
1330 Et ne suis point du tout pour ces prudes sauvages
Dont l'honneur est armé de griffes et de dents,
Et veut au moindre mot dévisager* les gens.
Me préserve le Ciel d'une telle sagesse !
Je veux une vertu qui ne soit point diablesse,
1335 Et crois que d'un refus la discrète froideur
N'en est pas moins puissante à rebuter un cœur.

ORGON

Enfin je sais l'affaire et ne prends point le change [1].

ELMIRE

J'admire*, encore un coup, cette faiblesse étrange.
Mais que me répondrait votre incrédulité
1340 Si je vous faisais voir qu'on vous dit vérité ?

ORGON

Voir ?

ELMIRE

Oui.

ORGON

Chansons.

ELMIRE

Mais quoi ! si je trouvais manière
De vous le faire voir avec pleine lumière ?

ORGON

Contes en l'air.

ELMIRE

Quel homme ! Au moins répondez-moi.
Je ne vous parle pas de nous ajouter foi ;

---

1. Je ne change pas d'avis.

1345 Mais supposons ici que, d'un lieu qu'on peut prendre,
On vous fît clairement tout voir et tout entendre,
Que diriez-vous alors de votre homme de bien ?

ORGON

En ce cas, je dirais que… Je ne dirais rien,
Car cela ne se peut.

ELMIRE

L'erreur trop longtemps dure,
1350 Et c'est trop condamner ma bouche d'imposture.
Il faut que par plaisir [1], et sans aller plus loin,
De tout ce qu'on vous dit je vous fasse témoin.

ORGON

Soit ; je vous prends au mot. Nous verrons votre adresse,
Et comment vous pourrez remplir cette promesse.

ELMIRE

1355 Faites-le-moi venir.

DORINE

Son esprit est rusé,
Et peut-être à surprendre il sera malaisé.

ELMIRE

Non ; on est aisément dupé par ce qu'on aime ;
Et l'amour-propre engage à se tromper soi-même.
Faites-le-moi descendre ;

Parlant à Cléante et à Mariane.

Et vous, retirez-vous.

1. Pour voir ce qu'il en sortira.

Scène 4

ELMIRE, ORGON

ELMIRE

1360 Approchons cette table, et vous mettez dessous.

ORGON

Comment ?

ELMIRE

Vous bien cacher est un point nécessaire.

ORGON

Pourquoi sous cette table ?

ELMIRE

Ah ! mon Dieu, laissez faire ;
J'ai mon dessein en tête, et vous en jugerez.
Mettez-vous là, vous dis-je ; et quand vous y serez,
1365 Gardez* qu'on ne vous voie et qu'on ne vous entende.

ORGON

Je confesse qu'ici ma complaisance est grande ;
Mais de votre entreprise il vous faut voir sortir.

ELMIRE

Vous n'aurez, que je crois [1], rien à me repartir.

À son mari qui est sous la table.

Au moins, je vais toucher une étrange matière ;
1370 Ne vous scandalisez en aucune manière.
Quoi que je puisse dire, il doit m'être permis,
Et c'est pour vous convaincre, ainsi que j'ai promis.
Je vais par des douceurs, puisque j'y suis réduite,
Faire poser le masque à cette âme hypocrite,
1375 Flatter de son amour les désirs effrontés,

1. À ce que je crois.

Et donner un champ libre à ses témérités.
Comme c'est pour vous seul, et pour mieux le confondre,
Que mon âme à ses vœux va feindre de répondre,
J'aurai lieu de cesser dès que vous vous rendrez [1],
1380 Et les choses n'iront que jusqu'où vous voudrez.
C'est à vous d'arrêter son ardeur* insensée,
Quand vous croirez l'affaire assez avant poussée,
D'épargner votre femme, et de ne m'exposer
Qu'à ce qu'il vous faudra pour vous désabuser.
1385 Ce sont vos intérêts ; vous en serez le maître,
Et… L'on vient ; tenez-vous, et gardez* de paraître.

Scène 5

TARTUFFE, ELMIRE, ORGON

TARTUFFE

On m'a dit qu'en ce lieu vous me vouliez parler.

ELMIRE

Oui, l'on a des secrets à vous y révéler.
Mais tirez cette porte avant qu'on vous les dise,
1390 Et regardez partout de crainte de surprise :
Une affaire pareille à celle de tantôt
N'est pas assurément ici ce qu'il nous faut.
Jamais il ne s'est vu de surprise de même [2] ;
Damis m'a fait pour vous une frayeur extrême,
1395 Et vous avez bien vu que j'ai fait mes efforts
Pour rompre son dessein et calmer ses transports.
Mon trouble, il est bien vrai, m'a si fort possédée
Que de le démentir je n'ai point eu l'idée ;
Mais par là, grâce au Ciel, tout a bien mieux été,
1400 Et les choses en sont dans plus de sûreté.
L'estime où l'on vous tient a dissipé l'orage,

1. Je pourrai cesser dès que vous vous rendrez à l'évidence, que vous serez convaincu.
2. Égale à celle-là.

Et mon mari de vous ne peut prendre d'ombrage.
Pour mieux braver l'éclat des mauvais jugements,
Il veut que nous soyons ensemble à tous moments ;
1405 Et c'est par où je puis, sans peur d'être blâmée,
Me trouver ici seule avec vous enfermée,
Et ce qui m'autorise à vous ouvrir un cœur
Un peu trop prompt peut-être à souffrir* votre ardeur*.

TARTUFFE

Ce langage à comprendre est assez difficile,
1410 Madame, et vous parliez tantôt d'un autre style.

ELMIRE

Ah ! si d'un tel refus vous êtes en courroux,
Que le cœur d'une femme est mal connu de vous !
Et que vous savez peu ce qu'il veut faire entendre
Lorsque si faiblement on le voit se défendre !
1415 Toujours notre pudeur combat dans ces moments
Ce qu'on peut nous donner de tendres sentiments.
Quelque raison qu'on trouve à l'amour qui nous dompte,
On trouve à l'avouer toujours un peu de honte ;
On s'en défend d'abord* ; mais de l'air* qu'on s'y prend,
1420 On fait connaître assez que notre cœur se rend,
Qu'à nos vœux par honneur notre bouche s'oppose,
Et que de tels refus promettent toute chose.
C'est vous faire sans doute* un assez libre aveu,
Et sur notre pudeur me ménager bien peu [1] ;
1425 Mais puisque la parole enfin en est lâchée,
À retenir Damis me serais-je attachée,
Aurais-je, je vous prie, avec tant de douceur
Écouté tout au long l'offre de votre cœur,
Aurais-je pris la chose ainsi qu'on m'a vu faire,
1430 Si l'offre de ce cœur n'eût eu de quoi me plaire ?
Et lorsque j'ai voulu moi-même vous forcer
À refuser l'hymen* qu'on venait d'annoncer,
Qu'est-ce que cette instance a dû vous faire entendre,
Que l'intérêt qu'en vous on s'avise de prendre,

1. Prendre trop peu de soin de la pudeur naturelle aux femmes.

1435 Et l'ennui qu'on aurait que ce nœud [1] qu'on résout
Vînt partager du moins un cœur que l'on veut tout [2] ?

TARTUFFE

C'est sans doute*, Madame, une douceur extrême
Que d'entendre ces mots d'une bouche qu'on aime ;
Leur miel dans tous mes sens fait couler à longs traits
1440 Une suavité qu'on ne goûta jamais.
Le bonheur de vous plaire est ma suprême étude,
Et mon cœur de vos vœux fait sa béatitude ;
Mais ce cœur vous demande ici la liberté
D'oser douter un peu de sa félicité.
1445 Je puis croire ces mots un artifice honnête
Pour m'obliger à rompre un hymen* qui s'apprête ;
Et s'il faut librement m'expliquer avec vous,
Je ne me fierai point à des propos si doux,
Qu'un peu de vos faveurs, après quoi je soupire,
1450 Ne vienne m'assurer tout ce qu'ils m'ont pu dire,
Et planter dans mon âme une constante foi [3]
Des charmantes bontés que vous avez pour moi.

ELMIRE. *Elle tousse pour avertir son mari.*

Quoi ! vous voulez aller avec cette vitesse,
Et d'un cœur tout d'abord* épuiser la tendresse ?
1455 On se tue à vous faire un aveu des plus doux ;
Cependant ce n'est pas encore assez pour vous,
Et l'on ne peut aller jusqu'à vous satisfaire,
Qu'aux dernières faveurs on ne pousse l'affaire ?

TARTUFFE

Moins on mérite un bien, moins on l'ose espérer ;
1460 Nos vœux sur des discours ont peine à s'assurer ;

---

1. Ce mariage.
2. Elmire donne au pronom personnel « on » de multiples référents : les hommes, les femmes, Orgon et enfin elle-même dans les derniers vers de la tirade.
3. Confiance, assurance.

On soupçonne [1] aisément un sort tout plein de gloire,
Et l'on veut en jouir avant que de le croire.
Pour moi, qui crois si peu mériter vos bontés,
Je doute du bonheur de mes témérités ;
1465 Et je ne croirai rien que vous n'ayez, Madame,
Par des réalités su convaincre ma flamme.

ELMIRE

Mon Dieu, que votre amour en vrai tyran agit !
Et qu'en un trouble étrange il me jette l'esprit !
Que sur les cœurs il prend un furieux empire !
1470 Et qu'avec violence il veut ce qu'il désire !
Quoi ! de votre poursuite on ne peut se parer [2],
Et vous ne donnez pas le temps de respirer ?
Sied-il bien de tenir une rigueur si grande ?
De vouloir sans quartier [3] les choses qu'on demande,
1475 Et d'abuser ainsi par vos efforts pressants
Du faible que pour vous vous voyez qu'ont les gens ?

TARTUFFE

Mais si d'un œil bénin vous voyez mes hommages,
Pourquoi m'en refuser d'assurés témoignages ?

ELMIRE

Mais comment consentir à ce que vous voulez,
1480 Sans offenser le Ciel, dont toujours vous parlez ?

TARTUFFE

Si ce n'est que le Ciel qu'à mes vœux on oppose,
Lever un tel obstacle est à moi [4] peu de chose,
Et cela ne doit pas retenir votre cœur.

ELMIRE

Mais des arrêts du Ciel on nous fait tant de peur !

---

1. On doute de.
2. Se protéger.
3. Sans accorder de grâce ou, ici, de délai.
4. Pour moi.

TARTUFFE

1485 Je puis vous dissiper ces craintes ridicules,
Madame, et je sais l'art de lever les scrupules.
Le Ciel défend, de vrai, certains contentements ;

C'est un scélérat qui parle.

Mais on trouve avec lui des accommodements.
Selon divers besoins, il est une science
1490 D'étendre les liens de notre conscience,
Et de rectifier le mal de l'action
Avec la pureté de notre intention[1].
De ces secrets, Madame, on saura vous instruire ;
Vous n'avez seulement qu'à vous laisser conduire.
1495 Contentez mon désir, et n'ayez point d'effroi ;
Je vous réponds de tout, et prends le mal sur moi.
Vous toussez fort, Madame.

ELMIRE

Oui, je suis au supplice.

TARTUFFE

Vous plaît-il un morceau de ce jus de réglisse ?

ELMIRE

C'est un rhume obstiné, sans doute* ; et je vois bien
1500 Que tous les jus du monde ici ne feront rien.

TARTUFFE

Cela certes est fâcheux.

ELMIRE

Oui, plus qu'on ne peut dire.

TARTUFFE

Enfin votre scrupule est facile à détruire ;
Vous êtes assurée ici d'un plein secret,

---

1. Souvenir de la septième *Provinciale* de Pascal. Voir le chapitre 3 du dossier, p. 169.

Et le mal n'est jamais que dans l'éclat qu'on fait.
1505 Le scandale du monde est ce qui fait l'offense,
Et ce n'est pas pécher que pécher en silence [1].

ELMIRE, *après avoir encore toussé.*

Enfin je vois qu'il faut se résoudre à céder,
Qu'il faut que je consente à vous tout accorder,
Et qu'à moins de cela je ne dois point prétendre
1510 Qu'on puisse être content*, et qu'on [2] veuille se rendre.
Sans doute*, il est fâcheux d'en venir jusque-là,
Et c'est bien malgré moi que je franchis cela ;
Mais puisque l'on s'obstine à m'y vouloir réduire,
Puisqu'on ne veut point croire à tout ce qu'on peut dire,
1515 Et qu'on veut des témoins [3] qui soient plus convaincants,
Il faut bien s'y résoudre, et contenter les gens.
Si ce consentement porte en soi quelque offense,
Tant pis pour qui me force à cette violence ;
La faute assurément n'en doit pas être à moi.

TARTUFFE

1520 Oui, Madame, on s'en charge ; et la chose de soi…

ELMIRE

Ouvrez un peu la porte, et voyez, je vous prie,
Si mon mari n'est point dans cette galerie.

TARTUFFE

Qu'est-il besoin pour lui du soin* que vous prenez ?
C'est un homme, entre nous, à mener par le nez.
1525 De tous nos entretiens il est pour faire gloire [4],
Et je l'ai mis au point de voir tout sans rien croire.

---

1. À rapprocher de la XIIIe *Satire* de Mathurin Régnier. Voir le chapitre 2 du dossier, p. 157.
2. Le jeu sur le « on » se poursuit : Elmire fait ici allusion à son mari, caché sous la table.
3. Ici : des témoignages.
4. Se vanter.

ELMIRE
Il n'importe ; sortez, je vous prie, un moment,
Et partout là dehors voyez exactement.

Scène 6

ORGON, ELMIRE

ORGON, *sortant de dessous la table.*
Voilà, je vous l'avoue, un abominable homme !
1530 Je n'en puis revenir, et tout ceci m'assomme.

ELMIRE
Quoi ! vous sortez si tôt ? vous vous moquez des gens.
Rentrez sous le tapis, il n'est pas encor temps ;
Attendez jusqu'au bout pour voir les choses sûres,
Et ne vous fiez point aux simples conjectures.

ORGON
1535 Non, rien de plus méchant n'est sorti de l'enfer.

ELMIRE
Mon Dieu ! l'on ne doit point croire trop de léger ;
Laissez-vous bien convaincre avant que de vous rendre,
Et ne vous hâtez point, de peur de vous méprendre.

Elle fait mettre son mari derrière elle.

Scène 7

TARTUFFE, ELMIRE, ORGON

TARTUFFE
Tout conspire, Madame, à mon contentement :
1540 J'ai visité de l'œil tout cet appartement ;
Personne ne s'y trouve ; et mon âme ravie…

ORGON, *en l'arrêtant.*

Tout doux ! vous suivez trop votre amoureuse envie,
Et vous ne devez pas vous tant passionner.
Ah ! ah ! l'homme de bien, vous m'en voulez donner [1] !
1545 Comme aux tentations s'abandonne votre âme !
Vous épousiez ma fille, et convoitiez ma femme !
J'ai douté fort longtemps que ce fût tout de bon,
Et je croyais toujours qu'on changerait de ton ;
Mais c'est assez avant pousser le témoignage ;
1550 Je m'y tiens, et n'en veux, pour moi, pas davantage.

ELMIRE, *à Tartuffe.*

C'est contre mon humeur que j'ai fait tout ceci ;
Mais on m'a mise au point de vous traiter ainsi.

TARTUFFE

Quoi ! vous croyez...

ORGON

Allons, point de bruit [2], je vous prie ;
Dénichons de céans*, et sans cérémonie.

TARTUFFE

1555 Mon dessein...

ORGON

Ces discours ne sont plus de saison ;
Il faut, tout sur-le-champ, sortir de la maison.

TARTUFFE

C'est à vous d'en sortir, vous qui parlez en maître.
La maison m'appartient, je le ferai connaître,
Et vous montrerai bien qu'en vain on a recours,
1560 Pour me chercher querelle, à ces lâches détours,
Qu'on n'est pas où l'on pense en me faisant injure,
Que j'ai de quoi confondre et punir l'imposture,

---

1. Vous voulez me tromper.
2. Éclat.

Venger le Ciel qu'on blesse, et faire repentir
Ceux qui parlent ici de me faire sortir.

Scène 8

ELMIRE, ORGON

ELMIRE

565 Quel est donc ce langage, et qu'est-ce qu'il veut dire ?

ORGON

Ma foi, je suis confus, et n'ai pas lieu de rire.

ELMIRE

Comment ?

ORGON

Je vois ma faute aux choses qu'il me dit,
Et la donation m'embarrasse l'esprit.

ELMIRE

La donation…

ORGON

Oui, c'est une affaire faite ;
570 Mais j'ai quelque autre chose encor qui m'inquiète.

ELMIRE

Et quoi ?

ORGON

Vous saurez tout ; mais voyons au plus tôt
Si certaine cassette est encore là-haut.

ACTE V

Scène première

ORGON, CLÉANTE

CLÉANTE

Où voulez-vous courir ?

ORGON

Las* ! que sais-je ?

CLÉANTE

Il me semble

Que l'on doit commencer par consulter [1] ensemble

1575 Les choses qu'on peut faire en cet événement.

ORGON

Cette cassette-là me trouble entièrement.

Plus que le reste encor elle me désespère.

CLÉANTE

Cette cassette est donc un important mystère ?

ORGON

C'est un dépôt qu'Argas, cet ami que je plains,

1580 Lui-même, en grand secret, m'a mis entre les mains.

Pour cela, dans sa fuite, il me voulut élire* ;

Et ce sont des papiers, à ce qu'il m'a pu dire,

Où sa vie et ses biens se trouvent attachés.

1. Examiner.

CLÉANTE

Pourquoi donc les avoir en d'autres mains lâchés ?

ORGON

585 Ce fut par un motif de cas de conscience [1].
J'allai droit à mon traître en faire confidence,
Et son raisonnement me vint persuader
De lui donner plutôt la cassette à garder,
Afin que, pour nier, en cas de quelque enquête,
590 J'eusse d'un faux-fuyant la faveur toute prête,
Par où ma conscience eût pleine sûreté
À [2] faire des serments contre la vérité [3].

CLÉANTE

Vous voilà mal, au moins si j'en crois l'apparence ;
Et la donation, et cette confidence,
595 Sont, à vous en parler selon mon sentiment,
Des démarches par vous faites légèrement.
On peut vous mener loin avec de pareils gages ;
Et cet homme sur vous ayant ces avantages,
Le pousser [4] est encor grande imprudence à vous,
600 Et vous deviez [5] chercher quelque biais plus doux.

ORGON

Quoi ! sous un beau semblant de ferveur si touchante
Cacher un cœur si double, une âme si méchante !
Et moi qui l'ai reçu gueusant* et n'ayant rien...
C'en est fait, je renonce à tous les gens de bien.
605 J'en aurai désormais une horreur effroyable,
Et m'en vais devenir pour eux pire qu'un diable.

---

1. Tartuffe était alors le directeur de conscience d'Orgon.
2. Pour.
3. Souvenir ici de la IXe *Provinciale* de Pascal. Voir le chapitre 3 du dossier, p. 169.
4. Le pousser à bout.
5. Vous auriez dû.

CLÉANTE

Hé bien ! ne voilà pas de vos emportements !
Vous ne gardez en rien les doux tempéraments.
Dans la droite raison jamais n'entre la vôtre,
1610 Et toujours d'un excès vous vous jetez dans l'autre.
Vous voyez votre erreur, et vous avez connu
Que par un zèle* feint vous étiez prévenu ;
Mais pour vous corriger, quelle raison demande
Que vous alliez passer dans une erreur plus grande,
1615 Et qu'avecque le cœur d'un perfide vaurien
Vous confondiez les cœurs de tous les gens de bien ?
Quoi ! parce qu'un fripon vous dupe avec audace,
Sous le pompeux éclat d'une austère grimace,
Vous voulez que partout on soit fait comme lui,
1620 Et qu'aucun vrai dévot ne se trouve aujourd'hui ?
Laissez aux libertins ces sottes conséquences,
Démêlez la vertu d'avec ses apparences,
Ne hasardez jamais votre estime trop tôt,
Et soyez pour cela dans le milieu qu'il faut.
1625 Gardez-vous, s'il se peut, d'honorer l'imposture,
Mais au vrai zèle aussi n'allez pas faire injure ;
Et s'il vous faut tomber dans une extrémité,
Péchez plutôt encor de cet autre côté.

Scène 2

DAMIS, ORGON, CLÉANTE

DAMIS

Quoi ! mon père, est-il vrai qu'un coquin vous menace ?
1630 Qu'il n'est point de bienfait qu'en son âme il n'efface,
Et que son lâche orgueil, trop digne de courroux,
Se fait de vos bontés des armes contre vous ?

ORGON

Oui, mon fils, et j'en sens des douleurs nonpareilles.

DAMIS

Laissez-moi, je lui veux couper les deux oreilles.
1635 Contre son insolence on ne doit point gauchir [1].
C'est à moi, tout d'un coup, de vous en affranchir ;
Et pour sortir d'affaire, il faut que je l'assomme.

CLÉANTE

Voilà tout justement parler en vrai jeune homme.
Modérez, s'il vous plaît, ces transports éclatants ;
1640 Nous vivons sous un règne et sommes dans un temps
Où par la violence on fait mal ses affaires.

Scène 3

MADAME PERNELLE, MARIANNE, ELMIRE, DORINE, DAMIS, ORGON, CLÉANTE

MADAME PERNELLE

Qu'est-ce ? J'apprends ici de terribles mystères.

ORGON

Ce sont des nouveautés dont mes yeux sont témoins,
Et vous voyez le prix dont sont payés mes soins.
1645 Je recueille avec zèle* un homme en sa misère,
Je le loge, et le tiens comme mon propre frère ;
De bienfaits chaque jour il est par moi chargé ;
Je lui donne ma fille et tout le bien que j'ai ;
Et dans le même temps, le perfide, l'infâme,
1650 Tente le noir dessein de suborner* ma femme ;
Et non content encor de ces lâches essais,
Il m'ose menacer de mes propres bienfaits,
Et veut, à ma ruine, user des avantages
Dont le viennent d'armer mes bontés trop peu sages,
1655 Me chasser de mes biens, où je l'ai transféré [2],

1. Prendre des détours.
2. Que je lui ai cédés.

Et me réduire au point [1] d'où je l'ai retiré.

DORINE

Le pauvre homme !

MADAME PERNELLE

Mon fils, je ne puis du tout croire
Qu'il ait voulu commettre une action si noire.

ORGON

Comment ?

MADAME PERNELLE

Les gens de bien sont enviés toujours.

ORGON

1660 Que voulez-vous donc dire avec votre discours,
Ma mère ?

MADAME PERNELLE

Que chez vous on vit d'étrange sorte,
Et qu'on ne sait que trop la haine qu'on lui porte.

ORGON

Qu'a cette haine à faire avec ce qu'on vous dit ?

MADAME PERNELLE

Je vous l'ai dit cent fois quand vous étiez petit.
1665 La vertu dans le monde est toujours poursuivie ;
Les envieux mourront, mais non jamais l'envie.

ORGON

Mais que fait ce discours aux choses d'aujourd'hui ?

MADAME PERNELLE

On vous aura forgé cent sots contes de lui.

---

1. À la situation.

ORGON

Je vous ai dit déjà que j'ai vu tout moi-même.

MADAME PERNELLE

1670 Des esprits médisants la malice est extrême.

ORGON

Vous me feriez damner, ma mère. Je vous dis
Que j'ai vu de mes yeux un crime si hardi.

MADAME PERNELLE

Les langues ont toujours du venin à répandre,
Et rien n'est ici-bas qui s'en puisse défendre.

ORGON

1675 C'est tenir un propos de sens bien dépourvu !
Je l'ai vu, dis-je, vu, de mes propres yeux vu,
Ce qu'on appelle vu : faut-il vous le rebattre
Aux oreilles cent fois, et crier comme quatre ?

MADAME PERNELLE

Mon Dieu, le plus souvent l'apparence déçoit*.
1680 Il ne faut pas toujours juger sur ce qu'on voit.

ORGON

J'enrage.

MADAME PERNELLE

Aux faux soupçons la nature est sujette,
Et c'est souvent à mal [1] que le bien s'interprète.

ORGON

Je dois interpréter à [2] charitable soin
Le désir d'embrasser ma femme ?

---

1. Comme un mal.
2. Comme un.

MADAME PERNELLE

Il est besoin,

1685 Pour accuser les gens, d'avoir de justes causes ;
Et vous deviez [1] attendre à vous voir sûr des choses.

ORGON

Hé ! diantre ! le moyen de m'en assurer mieux ?
Je devais donc, ma mère, attendre qu'à mes yeux
Il eût… Vous me feriez dire quelque sottise.

MADAME PERNELLE

1690 Enfin d'un trop pur zèle* on voit son âme éprise ;
Et je ne puis du tout me mettre dans l'esprit
Qu'il ait voulu tenter les choses que l'on dit.

ORGON

Allez. Je ne sais pas, si vous n'étiez ma mère,
Ce que je vous dirais, tant je suis en colère.

DORINE

1695 Juste retour, Monsieur, des choses d'ici-bas.
Vous ne vouliez point croire, et l'on ne vous croit pas.

CLÉANTE

Nous perdons des moments en bagatelles* pures,
Qu'il faudrait employer à prendre des mesures.
Aux [2] menaces du fourbe on doit ne dormir point.

DAMIS

1700 Quoi ! son effronterie irait jusqu'à ce point ?

ELMIRE

Pour moi, je ne crois pas cette instance* possible,
Et son ingratitude est ici trop visible.

---

1. Vous auriez dû.
2. Face aux.

CLÉANTE

Ne vous y fiez pas : il aura des ressorts*
Pour donner contre vous raison à ses efforts ;
705 Et sur moins que cela, le poids d'une cabale
Embarrasse les gens dans un fâcheux dédale.
Je vous le dis encore : armé de ce qu'il a,
Vous ne deviez [1] jamais le pousser jusque-là.

ORGON

Il est vrai ; mais qu'y faire ? À [2] l'orgueil de ce traître,
710 De mes ressentiments je n'ai pas été maître.

CLÉANTE

Je voudrais, de bon cœur, qu'on pût entre vous deux
De quelque ombre de paix raccommoder les nœuds.

ELMIRE

Si j'avais su qu'en main il a de telles armes,
Je n'aurais pas donné matière à tant d'alarmes,
715 Et mes...

ORGON

Que veut cet homme ? Allez tôt* le savoir.
Je suis bien en état que l'on me vienne voir !

Scène 4

MONSIEUR LOYAL, MADAME PERNELLE, ORGON, DAMIS, MARIANE, DORINE, ELMIRE, CLÉANTE

MONSIEUR LOYAL

Bonjour, ma chère sœur. Faites, je vous supplie [3],
Que je parle à Monsieur.

1. Vous n'auriez jamais dû.
2. Face à.
3. Je vous prie.

DORINE

Il est en compagnie,
Et je doute qu'il puisse à présent voir quelqu'un.

MONSIEUR LOYAL

1720 Je ne suis pas pour être en ces lieux importun.
Mon abord* n'aura rien, je crois, qui lui déplaise ;
Et je viens pour un fait dont il sera bien aise.

DORINE

Votre nom ?

MONSIEUR LOYAL

Dites-lui seulement que je viens
De la part de Monsieur Tartuffe, pour son bien.

DORINE

1725 C'est un homme qui vient, avec douce manière,
De la part de Monsieur Tartuffe, pour affaire
Dont vous serez, dit-il, bien aise.

CLÉANTE

Il vous faut voir
Ce que c'est que cet homme, et ce qu'il peut vouloir.

ORGON

Pour nous raccommoder il vient ici peut-être.
1730 Quels sentiments aurai-je à lui faire paraître ?

CLÉANTE

Votre ressentiment ne doit point éclater ;
Et s'il parle d'accord, il le faut écouter.

MONSIEUR LOYAL

Salut, Monsieur. Le Ciel perde qui vous veut nuire,
Et vous soit favorable autant que je désire !

ORGON

1735 Ce doux début s'accorde avec mon jugement,

Et présage déjà quelque accommodement.

MONSIEUR LOYAL

Toute votre maison[1] m'a toujours été chère,
Et j'étais serviteur de Monsieur votre père.

ORGON

Monsieur, j'ai grande honte et demande pardon
1740 D'être sans vous connaître ou savoir votre nom.

MONSIEUR LOYAL

Je m'appelle Loyal, natif de Normandie,
Et suis huissier à verge[2], en dépit de l'envie.
J'ai depuis quarante ans, grâce au Ciel, le bonheur
D'en exercer la charge avec beaucoup d'honneur ;
1745 Et je vous viens, Monsieur, avec votre licence*,
Signifier l'exploit* de certaine ordonnance[3]...

ORGON

Quoi ! vous êtes ici...

MONSIEUR LOYAL

Monsieur, sans passion,
Ce n'est rien seulement qu'une sommation,
Un ordre de vuider* d'ici[4], vous et les vôtres,
1750 Mettre vos meubles hors, et faire place à d'autres,
Sans délai ni remise, ainsi que besoin est...

ORGON

Moi, sortir de céans* ?

MONSIEUR LOYAL

Oui, Monsieur, s'il vous plaît.
La maison à présent, comme savez de reste,

---

1. Votre famille.
2. La verge, baguette garnie d'ivoire, est l'attribut habituel des huissiers.
3. Je viens vous rendre compte de la décision de saisie prise par le juge.
4. Partir d'ici.

Au bon Monsieur Tartuffe appartient sans conteste.
1755 De vos biens désormais il est maître et seigneur,
En vertu d'un contrat duquel je suis porteur.
Il est en bonne forme, et l'on n'y peut rien dire.

DAMIS

Certes cette impudence est grande, et je l'admire*.

MONSIEUR LOYAL

Monsieur, je ne dois point avoir affaire à vous ;
1760 C'est à Monsieur ; il est et raisonnable et doux,
Et d'un homme de bien il sait trop bien l'office [1],
Pour se vouloir du tout opposer à justice.

ORGON

Mais...

MONSIEUR LOYAL

Oui, Monsieur, je sais que pour un million
Vous ne voudriez pas faire rébellion,
1765 Et que vous souffrirez*, en honnête personne,
Que j'exécute ici les ordres qu'on me donne.

DAMIS

Vous pourriez bien ici sur votre noir jupon [2],
Monsieur l'huissier à verge, attirer le bâton.

MONSIEUR LOYAL

Faites que votre fils se taise ou se retire,
1770 Monsieur ; j'aurais regret d'être obligé d'écrire,
Et de vous voir couché dans mon procès-verbal.

DORINE

Ce Monsieur Loyal porte un air bien déloyal !

---

1. Le devoir.
2. Longue veste.

MONSIEUR LOYAL

Pour tous les gens de bien j'ai de grandes tendresses,
Et ne me suis voulu, Monsieur, charger des pièces
1775 Que pour vous obliger et vous faire plaisir,
Que pour ôter par là le moyen d'en choisir
Qui, n'ayant pas pour vous le zèle qui me pousse,
Auraient pu procéder d'une façon moins douce.

ORGON

Et que peut-on de pis que d'ordonner aux gens
1780 De sortir de chez eux ?

MONSIEUR LOYAL

On vous donne du temps,
Et jusques à demain je ferai surséance [1]
À l'exécution, Monsieur, de l'ordonnance.
Je viendrai seulement passer ici la nuit,
Avec dix de mes gens, sans scandale et sans bruit.
1785 Pour la forme, il faudra, s'il vous plaît, qu'on m'apporte,
Avant que se coucher, les clefs de votre porte.
J'aurai soin de ne pas troubler votre repos,
Et de ne rien souffrir* qui ne soit à propos.
Mais demain, du matin, il vous faut être habile
1790 À vuider* de céans* jusqu'au moindre ustensile.
Mes gens vous aideront, et je les ai pris forts,
Pour vous faire service à tout mettre dehors.
On n'en peut pas user mieux que je fais, je pense ;
Et comme je vous traite avec grande indulgence,
1795 Je vous conjure aussi, Monsieur, d'en user bien,
Et qu'au dû de ma charge [2] on ne me trouble en rien.

ORGON

Du meilleur de mon cœur je donnerais sur l'heure
Les cent plus beaux louis de ce qui me demeure,
Et [3] pouvoir, à plaisir, sur ce mufle assener

---

1. J'accorderai un délai.
2. Dans l'exercice de mes fonctions.
3. Pour.

1800 Le plus grand coup de poing qui se puisse donner.

CLÉANTE

Laissez, ne gâtons rien.

DAMIS

À [1] cette audace étrange,
J'ai peine à me tenir, et la main me démange.

DORINE

Avec un si bon dos, ma foi, Monsieur Loyal,
Quelques coups de bâton ne vous siéraient pas mal.

MONSIEUR LOYAL

1805 On pourrait bien punir ces paroles infâmes,
Mamie*, et l'on décrète* aussi contre les femmes.

CLÉANTE

Finissons tout cela, Monsieur, c'en est assez ;
Donnez tôt* ce papier, de grâce, et nous laissez.

MONSIEUR LOYAL

Jusqu'au revoir. Le Ciel vous tienne tous en joie !

ORGON

1810 Puisse-t-il te confondre, et celui qui t'envoie !

Scène 5

ORGON, CLÉANTE, MARIANE, ELMIRE, MADAME PERNELLE, DORINE, DAMIS

ORGON

Hé bien, vous le voyez, ma mère, si j'ai droit [2],
Et vous pouvez juger du reste par l'exploit*.

---

1. Face à.
2. Si j'ai raison.

Ses trahisons enfin vous sont-elles connues ?

MADAME PERNELLE

Je suis tout ébaubie*, et je tombe des nues.

DORINE

1815 Vous vous plaignez à tort, à tort vous le blâmez,
Et ses pieux desseins par là sont confirmés.
Dans l'amour du prochain sa vertu se consomme ;
Il sait que très souvent les biens corrompent l'homme,
Et, par charité pure, il veut vous enlever
1820 Tout ce qui vous peut faire obstacle à vous sauver.

ORGON

Taisez-vous ; c'est le mot qu'il vous faut toujours dire.

CLÉANTE

Allons voir quel conseil* on doit vous faire élire*.

ELMIRE

Allez faire éclater l'audace de l'ingrat.
Ce procédé* détruit la vertu* du contrat ;
1825 Et sa déloyauté va paraître trop noire,
Pour souffrir* qu'il en ait le succès qu'on veut croire.

Scène 6

VALÈRE, ORGON, CLÉANTE, ELMIRE, MARIANE, etc.

VALÈRE

Avec regret, Monsieur, je viens vous affliger ;
Mais je m'y vois contraint par le pressant danger.
Un ami, qui m'est joint d'une amitié fort tendre,
1830 Et qui sait l'intérêt qu'en vous j'ai lieu de prendre,
A violé pour moi, par un pas délicat,
Le secret que l'on doit aux affaires d'État,
Et me vient d'envoyer un avis dont la suite
Vous réduit au parti d'une soudaine fuite.

1835 Le fourbe qui longtemps a pu vous imposer*
Depuis une heure au Prince a su vous accuser,
Et remettre en ses mains, dans les traits [1] qu'il vous jette,
D'un criminel d'État l'importante cassette
Dont, au mépris, dit-il, du devoir d'un sujet [2],
1840 Vous avez conservé le coupable secret.
J'ignore le détail du crime qu'on vous donne,
Mais un ordre est donné contre votre personne ;
Et lui-même est chargé, pour mieux l'exécuter,
D'accompagner celui qui vous doit arrêter.

CLÉANTE

1845 Voilà ses droits armés, et c'est par où le traître
De vos biens qu'il prétend cherche à se rendre maître.

ORGON

L'homme est, je vous l'avoue, un méchant animal !

VALÈRE

Le moindre amusement* vous peut être fatal.
J'ai, pour vous emmener, mon carrosse à la porte,
1850 Avec mille louis qu'ici je vous apporte.
Ne perdons point de temps ; le trait est foudroyant,
Et ce sont de ces coups que l'on pare en fuyant.
À vous mettre en lieu sûr je m'offre pour conduite,
Et veux accompagner jusqu'au bout votre fuite.

ORGON

1855 Las* ! que ne dois-je point à vos soins obligeants ?
Pour vous en rendre grâce il faut un autre temps ;
Et je demande au Ciel de m'être assez propice,
Pour reconnaître un jour ce généreux service.
Adieu, prenez le soin, vous autres…

CLÉANTE

Allez tôt* ;

---

1. Au milieu des accusations.
2. D'un sujet du roi.

1860 Nous songerons, mon frère, à faire ce qu'il faut.

Scène dernière

L'EXEMPT*, TARTUFFE, VALÈRE, ORGON, ELMIRE, MARIANE, etc.

TARTUFFE

Tout beau [1], Monsieur, tout beau, ne courez point si vite,
Vous n'irez pas fort loin pour trouver votre gîte,
Et de la part du Prince on vous fait prisonnier.

ORGON

Traître, tu me gardais ce trait pour le dernier.
1865 C'est le coup, scélérat, par où tu m'expédies [2],
Et voilà couronner [3] toutes tes perfidies.

TARTUFFE

Vos injures n'ont rien à me pouvoir aigrir [4],
Et je suis pour le Ciel appris à [5] tout souffrir*.

CLÉANTE

La modération est grande, je l'avoue.

DAMIS

1870 Comme du Ciel l'infâme impudemment se joue* !

TARTUFFE

Tous vos emportements ne sauraient m'émouvoir,
Et je ne songe à rien qu'à [6] faire mon devoir.

1. Doucement.
2. Le coup dont tu m'achèves.
3. Pour couronner.
4. Sont impuissantes à m'irriter.
5. Habitué à.
6. Sinon à.

MARIANE

Vous avez de ceci grande gloire à prétendre,
Et cet emploi pour vous est fort honnête à prendre.

TARTUFFE

1875 Un emploi ne saurait être que glorieux,
Quand il part du pouvoir qui m'envoie en ces lieux.

ORGON

Mais t'es-tu souvenu que ma main charitable,
Ingrat, t'a retiré d'un état misérable ?

TARTUFFE

Oui, je sais quels secours j'en ai pu recevoir ;
1880 Mais l'intérêt du prince est mon premier devoir :
De ce devoir sacré la juste violence
Étouffe dans mon cœur toute reconnaissance,
Et je sacrifierais à de si puissants nœuds
Ami, femme, parents, et moi-même avec eux.

ELMIRE

1885 L'imposteur !

DORINE

Comme il sait, de traîtresse manière,
Se faire un beau manteau [1] de tout ce qu'on révère !

CLÉANTE

Mais s'il est si parfait que vous le déclarez,
Ce zèle* qui vous pousse et dont vous vous parez,
D'où vient que pour paraître il s'avise d'attendre
1890 Qu'à poursuivre sa femme il ait su vous surprendre ?
Et que vous ne songez à l'aller dénoncer
Que lorsque son honneur l'oblige à vous chasser ?
Je ne vous parle point, pour devoir en distraire [2],
Du don de tout son bien qu'il venait de vous faire ;

1. Apparence, prétexte derrière lesquels Tartuffe s'abrite.
2. Parce qu'il faudrait détourner l'objet de notre conversation.

1895 Mais le voulant traiter en coupable aujourd'hui,
Pourquoi consentiez-vous à rien [1] prendre de lui ?

TARTUFFE, *à l'Exempt.*

Délivrez-moi, Monsieur, de la criaillerie,
Et daignez accomplir votre ordre, je vous prie.

L'EXEMPT

Oui, c'est trop demeurer sans doute* à l'accomplir.
1900 Votre bouche à propos m'invite à le remplir ;
Et pour l'exécuter, suivez-moi tout à l'heure
Dans la prison qu'on doit vous donner pour demeure.

TARTUFFE

Qui ? moi, Monsieur ?

L'EXEMPT

Oui, vous.

TARTUFFE

Pourquoi donc la prison ?

L'EXEMPT

Ce n'est pas vous à qui j'en veux rendre raison.
1905 Remettez-vous, Monsieur, d'une alarme si chaude.
Nous vivons sous un prince ennemi de la fraude,
Un prince dont les yeux se font jour dans les cœurs,
Et que ne peut tromper tout l'art des imposteurs.
D'un fin discernement sa grande âme pourvue
1910 Sur les choses toujours jette une droite vue ;
Chez elle jamais rien ne surprend trop d'accès [2],
Et sa ferme raison ne tombe en nul excès.
Il donne aux gens de bien une gloire immortelle ;
Mais sans aveuglement il fait briller ce zèle*,
1915 Et l'amour pour les vrais [3] ne ferme point son cœur

1. Quelque chose.
2. Jamais rien ne l'abuse.
3. Les vrais gens de bien.

À tout ce que les faux doivent donner d'horreur.
Celui-ci n'était pas pour le pouvoir surprendre,
Et de pièges plus fins on le voit se défendre.
D'abord* il a percé, par ses vives clartés,
1920 Des replis de son cœur toutes les lâchetés.
Venant vous accuser, il s'est trahi lui-même,
Et par un juste trait de l'équité suprême
S'est découvert au prince un fourbe renommé,
Dont sous un autre nom il était informé ;
1925 Et c'est un long détail d'actions toutes noires,
Dont on pourrait former des volumes d'histoires.
Ce monarque, en un mot, a vers [1] vous détesté
Sa lâche ingratitude et sa déloyauté ;
À ses autres horreurs il a joint cette suite,
1930 Et ne m'a jusqu'ici soumis à sa conduite
Que pour voir l'impudence aller jusques au bout,
Et vous faire par lui faire raison [2] de tout.
Oui, de tous vos papiers, dont il se dit le maître,
Il veut qu'entre vos mains je dépouille le traître.
1935 D'un souverain pouvoir, il brise les liens
Du contrat qui lui fait un don de tous vos biens,
Et vous pardonne enfin cette offense secrète
Où vous a d'un ami fait tomber la retraite ;
Et c'est le prix qu'il donne au zèle qu'autrefois
1940 On vous vit témoigner en appuyant ses droits,
Pour montrer que son cœur sait, quand moins on y pense,
D'une bonne action verser la récompense,
Que jamais le mérite avec lui ne perd rien,
Et que mieux que du mal il se souvient du bien.

DORINE

1945 Que le Ciel soit loué !

MADAME PERNELLE

Maintenant je respire.

---

1. Envers.
2. Réparation d'un outrage.

ELMIRE

Favorable succès !

MARIANE

Qui l'aurait osé dire ?

ORGON, *à Tartuffe.*

Hé bien ! te voilà, traître…

CLÉANTE

Ah ! mon frère, arrêtez,
Et ne descendez point à des indignités.
À son mauvais destin laissez un misérable,
1950 Et ne vous joignez point au remords qui l'accable :
Souhaitez bien plutôt que son cœur en ce jour
Au sein de la vertu fasse un heureux retour,
Qu'il corrige sa vie en détestant son vice
Et puisse du grand prince adoucir la justice,
1955 Tandis qu'à sa bonté vous irez à genoux
Rendre ce que demande un traitement si doux.

ORGON

Oui, c'est bien dit ; allons à ses pieds avec joie
Nous louer des bontés que son cœur nous déploie.
Puis, acquittés un peu de ce premier devoir,
1960 Aux justes soins d'un autre il nous faudra pourvoir,
Et par un doux hymen* couronner en Valère
La flamme* d'un amant généreux et sincère.

DOSSIER

1 — *L'hypocrisie, un vice privilégié*

2 — *Figures de faux dévots*

3 — *La critique de la religion*

4 — *Religion et théâtre*

5 — Castigat ridendo mores

1 — *L'hypocrisie, un vice privilégié*

Dans la préface et surtout dans le premier placet au roi, Molière dit avoir fustigé l'hypocrisie•, qu'il considère, parmi les vices, comme l'« un des plus en usage, des plus incommodes et des plus dangereux [1] ». Or, au XVIIe siècle, le terme « hypocrisie » est d'abord synonyme de « fausse dévotion », avant de désigner, par extension, toutes les formes de dissimulation morale et sociale. Violemment dénoncée par les hommes d'Église, l'hypocrisie est aussi, à l'époque de Molière, un thème majeur de la littérature morale. Ainsi la critique de l'hypocrisie telle qu'elle apparaît dans *Tartuffe* s'inscrit-elle dans une double tradition : la littérature religieuse d'une part, la littérature philosophique et morale d'autre part.

• Le terme « hypocrisie » a pour origine le grec hupokrisis, *qui signifie « jeu de l'acteur », puis « feinte » et « dissimulation ». Mettre en scène l'hypocrisie pourra donc amener à réfléchir sur le théâtre.*

L'ÉVANGILE SELON SAINT MATTHIEU

La condamnation de l'hypocrisie en matière de religion trouve ses origines dans la Bible, et notamment chez Matthieu, qui oppose les vrais chrétiens aux faux dévots. L'attitude des seconds se marque par la démesure et l'ostentation, quand les premiers gardent en tout discrétion et humilité. C'est à ceux-là que le Christ a voulu apprendre, lors du sermon

1. Premier placet, p. 36.

sur la montagne, le Notre Père qui est la vraie prière des chrétiens.

Prenez garde à ne faire pas vos bonnes œuvres devant les hommes pour en être regardés ; autrement vous n'en recevrez point la récompense de votre Père qui est aux cieux.

Lors donc que vous donnerez l'aumône, ne faites point sonner la trompette devant vous, comme font les hypocrites dans les synagogues et dans les rues pour être honorés des hommes. Je vous dis en vérité qu'ils ont reçu leur récompense. Mais lorsque vous ferez l'aumône, que votre main gauche ne sache point ce que fait votre main droite, afin que votre aumône soit dans le secret ; et votre Père, qui voit ce qui se passe dans le secret, vous en rendra la récompense.

De même lorsque vous priez, ne ressemblez pas aux hypocrites qui affectent de prier en se tenant debout dans les synagogues et aux coins des rues pour être vus des hommes. Je vous dis en vérité qu'ils ont reçu leur récompense. Mais vous, lorsque vous voudrez prier, entrez dans votre chambre, et la porte en étant fermée, priez votre Père dans le secret ; et votre Père, qui voit cela, vous en rendra la récompense. [...] Lorsque vous jeûnez, ne soyez point tristes comme les hypocrites ; car ils affectent de paraître avec un visage défiguré, afin que les hommes connaissent qu'ils jeûnent. Je vous dis en vérité qu'ils ont reçu leur récompense. Mais vous, lorsque vous jeûnez, parfumez votre tête, et lavez votre visage, afin de ne pas faire paraître aux hommes que vous jeûnez ; mais à votre Père qui est présent à ce qu'il y a de plus secret. Et votre Père, qui voit ce qui se passe dans le secret, vous en rendra la récompense [1].

---

1. *Évangile selon saint Matthieu*, 6, 1-18, trad Lemaître de Sacy, Robert Laffont, coll. « Bouquins », p. 1273.

BOSSUET,
SERMON SUR LE JUGEMENT DERNIER

Au XVIIe siècle, l'hypocrite est jugé plus condamnable encore que l'athée, précisément parce qu'il affecte d'être dévot et qu'il va jusqu'à tromper non seulement les hommes, mais Dieu lui-même. Le 29 novembre 1665, soit un an et demi après la première représentation du *Tartuffe* et quelques mois après la création de *Dom Juan*, Bossuet prononce son *Sermon sur le jugement dernier* devant la Cour réunie au Louvre.

Le jour du jugement dernier, ceux qui se sont cachés seront découverts ; là, ceux qui se sont excusés seront convaincus ; là, ceux qui étaient si fiers et si insolents dans leurs crimes seront abattus et atterrés : et ainsi sera rendue à tous ces pécheurs, à ceux qui trompent le monde, à ceux qui l'amusent, ainsi, dis-je, leur sera rendue à la face des hommes et des anges, l'éternelle confusion qu'ils ont si bien méritée.

Or parmi les pécheurs, les plus violemment châtiés seront les hypocrites, dont Bossuet ne peut dire qu'ils étaient nombreux à la Cour :

Mais de tous les pécheurs qui se cachent, aucuns ne seront découverts avec plus de honte que les faux dévots et les hypocrites. Ce sont ceux-ci, Messieurs, qui sont des plus pernicieux ennemis de Dieu, qui combattent contre lui sous ses étendards. Nul ne ravilit davantage l'honneur de la piété que l'hypocrite qui la fait servir d'enveloppe et de couverture à sa malice. Nul ne viole la sainte majesté de Dieu d'une manière plus sacrilège que l'hypocrite qui, s'autorisant de son nom auguste, lui veut donner part à ses crimes et le choisit pour protecteur de ses vices, lui qui en est le censeur. Nul donc ne trouvera Dieu juge plus sévère que l'hypocrite qui a entrepris de le faire en quelque façon son complice [1].

MOLIÈRE, *DOM JUAN* : QUAND LE LIBERTIN DEVIENT HYPOCRITE

Avant que Molière s'empare du sujet de Dom Juan, le personnage était puni pour son indomptable athéisme, et parce qu'il s'était rendu coupable d'endurcissement au péché. L'originalité du traitement moliéresque repose, entre autres, sur la transformation du libertin en hypocrite au cinquième acte. Alors qu'il vient de faire croire à son père qu'il est revenu à la religion catholique, il montre à son valet Sganarelle son visage d'hypocrite, et lui vante en ces termes les mérites de l'hypocrisie :

Dom Juan. – […] L'hypocrisie est un vice à la mode, et tous les vices à la mode passent pour vertus. Le personnage d'homme de bien est le meilleur de tous les personnages qu'on puisse jouer aujourd'hui, et la profession d'hypocrite a de merveilleux avantages. C'est un art de qui l'imposture est toujours respectée ; et quoiqu'on la découvre, on n'ose rien dire contre elle. Tous les autres vices des hommes sont exposés à la censure, et chacun a la liberté de les attaquer hautement ; mais l'hypocrisie est un vice privilégié [2], qui, de sa main, ferme la bouche à tout le monde, et jouit en repos d'une impunité souveraine. On lie, à force de grimaces, une société

---

1. Bossuet, *Sermon sur le jugement dernier*, in *Œuvres oratoires*, t. IV, éd. critique par l'abbé J. Lebarcq, revue et augmentée par Ch. Urbain et E. Levesque, Hachette, 1921, p. 635 et 639.
2. Qui jouit d'un privilège, c'est-à-dire de lois particulières.

étroite avec tous les gens du parti [1]. Qui en choque un se les jette tous sur les bras ; et ceux que l'on sait même agir de bonne foi là-dessus, et que chacun connaît pour être véritablement touchés, ceux-là, dis-je, sont toujours les dupes des autres ; ils donnent hautement dans le panneau des grimaciers et appuient aveuglément les singes de leurs actions. Combien crois-tu que j'en connaisse qui, par ce stratagème, ont rhabillé adroitement les désordres de leur jeunesse, qui se sont fait un bouclier du manteau de la religion, et, sous cet habit respecté, ont la permission d'être les plus méchants hommes du monde ? On a beau savoir leurs intrigues et les connaître pour ce qu'ils sont, ils ne laissent pas pour cela d'être en crédit parmi les gens ; et quelque baissement de tête, un soupir mortifié, et deux roulements d'yeux rajustent dans le monde tout ce qu'ils peuvent faire. C'est sous cet abri favorable que je veux me sauver, et mettre en sûreté mes affaires. Je ne quitterai point mes douces habitudes ; mais j'aurai soin de me cacher et me divertirai à petit bruit. Que si je viens à être découvert, je verrai, sans me remuer, prendre mes intérêts à toute la cabale [2], et je serai défendu par elle envers et contre tous. Enfin c'est là le vrai moyen de faire impunément tout ce que je voudrai. Je m'érigerai en censeur des actions d'autrui, jugerai mal de tout le monde, et n'aurai bonne opinion que de moi. Dès qu'une fois on m'aura choqué tant soit peu, je ne pardonnerai jamais et garderai tout doucement une haine irréconciliable. Je ferai le vengeur des intérêts du Ciel, et, sous ce prétexte commode, je pousserai mes ennemis, je les accuserai d'impiété, et saurai déchaîner contre eux des zélés indiscrets, qui, sans connaissance de cause, crieront en public contre eux, qui les accableront d'injures, et les damneront hautement de

« L'hypocrisie est un vice à la mode, et tous les vices à la mode passent pour vertus. »

---

1. Société secrète telle que la Compagnie du Saint-Sacrement.
2. La cabale des dévots.

leur autorité privée [1]. C'est ainsi qu'il faut profiter des faiblesses des hommes, et qu'un sage esprit s'accommode aux vices de son siècle.

Sganarelle. – Ô Ciel ! qu'entends-je ici ? Il ne vous manquait plus que d'être hypocrite pour vous achever de tout point, et voilà le comble des abominations [2].

La Rochefoucauld ou l'hypocrisie comme « hommage du vice à la vertu [3] »

Le champ d'extension du terme – et du vice – de l'hypocrisie est infiniment plus large chez La Rochefoucauld que chez Molière. Comme l'amour-propre, l'hypocrisie est l'un des ressorts essentiels du comportement social et renvoie à l'inadéquation générale entre l'être et le paraître. Alors même que le deuil, par exemple, devrait engager les hommes à la sincérité, il n'est, souvent, rien de plus hypocrite que l'expression de l'affliction :

> Il y a dans les afflictions diverses sortes d'hypocrisie. Dans l'une, sous prétexte de pleurer la perte d'une personne qui nous est chère, nous nous pleurons nous-mêmes ; nous regrettons la bonne opinion qu'il avait de nous ; nous pleurons la diminution de notre bien, de notre plaisir, de notre considération. Ainsi les morts ont l'honneur des larmes qui ne coulent que pour les vivants. Je dis que c'est une espèce d'hypocrisie, à cause que dans ces sortes d'afflictions on se trompe soi-même [4].

---

1. On rapprochera ce développement de la préface du *Tartuffe*, où Molière réutilise les mêmes formules (préface, p. 29).
2. Molière, *Dom Juan*, in *Œuvres complètes*, t. II, éd. G. Mongrédien, GF-Flammarion, 1965, p. 403-404.
3. La Rochefoucauld, maxime 218, *Maximes*, éd. J. Truchet, GF-Flammarion, 1977, p. 64.
4. *Ibid.*, maxime 233, p. 65.

La mise en forme spécifiquement littéraire du thème de l'hypocrisie passe, comme dans *Dom Juan*, par le portrait d'un hypocrite. Parce qu'il est solidaire d'un projet philosophique et moral, le portrait de l'hypocrite a partie liée avec des genres littéraires spécifiques : le genre du caractère, illustré dans l'Antiquité par Théophraste et qui trouve son expression moderne la plus aboutie avec La Bruyère ; le genre de la satire, qui naît avec Horace et Juvénal et est pris en charge, au XVIIe siècle, par Mathurin Régnier et plus tard par Boileau ; la nouvelle réaliste telle qu'elle est représentée notamment par Scarron, qui introduit en France la nouvelle espagnole ; la comédie enfin qui, avec Molière, devient explicitement porteuse d'un projet moral. Parce que l'hypocrite est un être double, marqué par une contradiction essentielle entre son comportement extérieur et les ressorts véritables de ses actions, l'auteur doit permettre à son lecteur de décrypter les signes extérieurs de l'hypocrisie et de les renvoyer à une intériorité.

La Macette de Régnier

En 1612, Régnier ajoute aux douze satires qu'il a déjà publiées en 1606 une treizième satire en forme de portrait. Macette, vieille femme qui fut au temps de sa jeunesse une courtisane recherchée, fait désormais passer pour un comportement volontairement vertueux l'assagissement forcé lié à son âge. Le début de la satire est consacré à une présentation générale du personnage, avant une petite scène de dialogue où Macette donne à une jeune fille, la maîtresse du poète, des leçons d'hypocrisie.

On sait que la satire de Régnier constitua l'une des sources de Molière, mais c'est à deux titres que Molière put s'en inspirer : la présentation de la vieille prude annonce le portrait d'Orante brossé par Dorine dans la première scène du *Tartuffe*[1] ; quant aux conseils de Macette, ils font d'elle un double féminin du faux dévot. Ainsi commence la satire XIII :

La fameuse Macette à la Cour si connue,
Qui s'est aux lieux d'honneur[2] en crédit [maintenue,
Et qui, depuis dix ans, jusqu'en ses derniers [jours,
A soutenu le prix en l'escrime d'amours,
Lasse enfin de servir au peuple de quintaine[3],
N'étant passe-volant[4], soldat ni capitaine,
Depuis les plus chétifs jusques aux plus [fendants[5]
Qu'elle n'ait déconfit[6] et mis dessus les dents,
Lasse, dis-je, et non saoule enfin s'est retirée
Et n'a plus autre objet que la voûte éthérée ;
Elle qui n'eut, avant que plorer son délit,
Autre ciel pour objet que le ciel de son lit,

---

1. *Le Tartuffe*, acte I, scène 1, p. 48-50.
2. Maisons de débauche.
3. Point de mire, but aux coups (la métaphore est assez grossière...).
4. Faux soldat qu'un officier fait passer pour un homme de sa compagnie dans une revue (afin de s'approprier sa solde).
5. Redoutables.
6. Dont elle n'ait eu raison.

A changé de courage [1], et confite en [2] détresse
Imite avec ses pleurs la sainte pécheresse [3],
Donnant des saintes lois à son affection,
Elle a mis son amour à la dévotion,
Sans art elle s'habille et simple en contenance,
Son teint mortifié prêche la continence ;
Clergesse [4], elle fait jà [5] la leçon aux prêcheurs,
Elle lit saint Bernard, la Guide des Pécheurs [6],
Les Méditations de la mère Thérèse,
Sait que c'est qu'hypostase [7], avecque syndérèse [8] ;
Jour et nuit elle va de convent [9] en convent,
Visite les saints lieux, se confesse souvent,
A des cas réservés [10] grandes intelligences,
Sait du Nom de Jésus [11] toutes les indulgences,
Que [12] valent chapelets, grains bénits enfilés,
Et l'ordre du cordon des pères Recollés.
Loin du monde elle fait sa demeure et son gîte,
Son œil tout pénitent ne pleure qu'eau bénite,
Enfin c'est un exemple, en ce siècle tortu [13],
D'amour, de charité, d'honneur et de vertu [14].

Mise en présence d'une jeune fille qu'elle cherche à corrompre, Macette apparaît ensuite sous son vrai jour. L'auteur s'efface et laisse parler son personnage à la première personne :

---

1. Cœur.
2. Pleine de.
3. Marie-Madeleine.
4. Savante en religion.
5. Déjà.
6. Ouvrage de dévotion de Louis de Grenade (1570).
7. Dans le vocabulaire théologique, « hypostase » désigne la personne (de Dieu, du Christ ou du Saint-Esprit) opposée à la nature divine.
8. Remords de conscience, reproche intérieur d'un crime qu'on a commis.
9. Couvent.
10. Péchés dont l'absolution est réservée aux supérieurs ecclésiastiques.
11. Il s'agit ici de la confrérie du Nom de Jésus.
12. Ce que.
13. Qui n'est pas droit ; soit, au sens figuré, dépravé.
14. M. Régnier, *Satire XIII*, in *Œuvres complètes*, éd. Gabriel Raibaud, Nizet, 1958 (rééd. 1982), p. 171-173 (nous modernisons l'orthographe).

Ces vieux contes d'honneur dont on repaît les dames
Ne sont que des appas pour les débiles [1] âmes
Qui sans choix de raison ont le cerveau perclus.
L'honneur est un vieux saint que l'on ne chôme plus [2] ;
Il ne sert plus de rien, sinon d'un peu d'excuse
Et de sot entretien pour ceux là qu'on amuse*,
Ou d'honnête refus quand on ne veut aimer [3].

Macette s'appuie sur son exemple particulier pour toucher plus efficacement la jeune fille, et lui apprend que la dévotion n'est dans son cas qu'un masque :

Et après maint essai enfin j'ai reconnu
Qu'un homme comme un autre est un moine tout nu ;
Puis, outre le saint vœu qui sert de couverture,
Ils sont trop obligés au secret de nature [4]
Et savent plus discrets apporter en aimant,
Avecques moins d'éclat plus de contentement.
C'est pourquoi déguisant les bouillons de mon âme,
D'un long habit de cendre enveloppant ma flamme,
Je cache mon dessein aux plaisirs adonné ;
Le péché que l'on cache est demi pardonné,
La faute seulement ne gît en la défense,
Le scandale et l'opprobre est cause de l'offense ;
Pourvu qu'on ne le sache il n'importe comment,
Qui peut dire que non ne pèche nullement [5].

---

1. Faibles.
2. C'est-à-dire que l'honneur n'est plus de saison.
3. M. Régnier, *op. cit.*, p. 176.
4. Par nature, c'est-à-dire par leur état.
5. M. Régnier, *op. cit.*, p. 178.

Le caractère de l'hypocrite selon Urbain Chevreau

Avec Urbain Chevreau, nous quittons le genre de la satire pour celui du caractère. Le premier portrait de l'hypocrite se trouve, pour ce genre, dans *Les Caractères* de Théophraste, qui évoquait « l'homme dissimulé ». Dans *L'École du sage ou le Caractère des vertus et des vices*, traduction française des *Characters of Vertues and Vices* de l'Anglais Joseph Hall parus en 1608, Urbain Chevreau met tout particulièrement en valeur la duplicité de l'homme hypocrite. Après avoir démonté le mécanisme de la dissimulation, l'auteur place lui aussi son personnage en situation. S'il ne présente alors que le comportement extérieur de l'hypocrite, c'est qu'il a donné à son lecteur les outils nécessaires pour « lire » ce comportement, et le rapporter à une intériorité toute différente :

L'HYPOCRITE

Il a toujours deux visages et souvent deux cœurs, et, dans la pièce qu'il joue, il est d'autant plus méchant acteur qu'il en joue le plus beau rôle. Il semble qu'il tienne à gage [1] la tristesse et la gravité. Toutes deux paraissent en même temps sur son visage, cependant que la galanterie et la joie occupent toute sa pensée, et de cet état il rit en lui-même, lorsqu'il songe qu'il a l'art de tromper de si bonne grâce les personnes qui le regardent ou qui l'entendent. Toutes les marques de la religion sont imprimées sur son front : c'est un loup au-dedans et une brebis au-dehors. Il n'est simple qu'en ses vêtements, et son cœur n'a point de plus infidèle interprète que sa langue.

1. Considère comme des gages, que l'on donne et que l'on reprend.

S'il sort le matin et qu'il entre dans un temple, il en salue les piliers avec une révérence aussi basse que s'il devait se laisser tomber. Il adore le Dieu qu'il méprise quand il est chez lui et cependant ses yeux ne sont arrêtés que sur les vitres, sur la voûte et sur les passants, et son âme ne peut savoir où peuvent aller ses lèvres. Lorsqu'il se lève, il regarde autour de lui avec un étonnement d'ardeur et de zèle*. Il se plaint de la charité du temps, qu'il trouve refroidie ou tout à fait morte, et n'a des louanges et des admirations que pour celle des premiers siècles. Il veut toujours être assis dans un lieu d'où le monde ne puisse détourner sa vue, pour s'y rendre le sujet de leur entretien. À la moitié du sermon il tire ses tablettes comme s'il appréhendait la perte d'un texte pressant ou quelque méditation chrétienne, et toutefois il y écrit quelque autre chose, et le plus souvent rien du tout. Il cherche avec beaucoup de bruit dans sa Bible le premier passage qu'on allègue, comme s'il en avait perdu la mémoire ; il plie le feuillet comme s'il l'avait heureusement rencontré. Il demande hautement le nom du prédicateur et le répète, il le salue lorsqu'il le trouve, il le remercie, il demande sa conversation et l'entretient de discours qui seraient à louer sans doute s'ils sortaient d'une bouche qui fût plus honnête [1].

L'Onuphre de La Bruyère

Lorsqu'il compose le portrait du faux dévot Onuphre, La Bruyère s'inscrit dans une tradition déjà ancienne. Aussi son portrait de l'hypocrite est-il nourri de références littéraires : on reconnaîtra quelques

---

1. Urbain Chevreau, *L'École du sage ou le Caractère des vertus et des vices*, chap. X, in *Moralistes du XVIIe siècle*, éd. J. Laffond, Laffont, coll. « Bouquins », 1992, p. 27.

traits de l'homme hypocrite de Joseph Hall rendus en français par Urbain Chevreau ; on reconnaîtra surtout le personnage de Tartuffe. Plus qu'un portrait supplémentaire, l'Onuphre de La Bruyère est porteur d'une réflexion de type métalinguistique• sur la représentation littéraire de l'hypocrisie et d'une critique de la représentation moliéresque. À la représentation comique qu'il juge un peu grossière, La Bruyère substitue un portrait tout en finesse du « vrai » faux dévot [1] :

• La fonction métalinguistique du discours est mise en œuvre lorsque celui qui parle ou, dans le cas présent, celui qui écrit, prend pour objet son propre discours.

Onuphre n'a pour tout lit qu'une housse de serge grise, mais il couche sur le coton et sur le duvet ; de même il est habillé simplement, mais commodément, je veux dire d'une étoffe légère en été, et d'une autre fort moelleuse en hiver ; il porte des chemises très déliées, qu'il a un très grand soin de bien cacher. Il ne dit point : *Ma haire et ma discipline*, au contraire ; il passerait pour ce qu'il est, pour un hypocrite, et il veut passer pour ce qu'il n'est pas, pour un homme dévot ; il est vrai qu'il fait en sorte que l'on croit, sans qu'il le dise, qu'il porte une haire et qu'il se donne la discipline. Il y a quelques livres répandus dans sa chambre indifféremment, ouvrez-les : c'est le *Combat spirituel*, le *Chrétien intérieur*, et l'*Année sainte* ; d'autres livres sont sous la clef. S'il marche par la ville, et qu'il découvre de loin un homme devant qui il est nécessaire qu'il soit dévot, les yeux baissés, la démarche lente et modeste, l'air recueilli lui sont familiers : il joue son rôle. S'il entre dans une église, il observe d'abord de qui il peut être vu ; et selon la découverte qu'il vient de faire, il se met à genoux et prie, ou il ne

La Bruyère propose une récriture du texte de Molière, dont il reprend, pour les contester, les points les plus remarquables : le faux dévot de Molière dit bien « ma haire et ma discipline » ; il « cajole la femme » de « l'homme opulent » qu'il cherche à abuser en employant le « jargon de la dévotion » ; enfin il s'insinue « dans une famille où se trouvent à la fois une fille à pourvoir et un fils à établir » et cherche à « s'attirer une donation générale de tous [l]es biens » de l'homme opulent, les enlevant ainsi à l'héritier légitime.

1. Voir Erich Auerbach, *Mimésis. La représentation de la réalité dans la littérature occidentale*, Gallimard, coll. « Tel », 1987, p. 365 *sq.*, et Marc Escola, « Vrai caractère du faux dévot », *Poétique*, n° 98, avril 1994, p. 181-198.

songe ni à se mettre à genoux ni à prier. Arrive-t-il vers lui un homme de bien et d'autorité qui le verra et qui peut l'entendre, non seulement il prie, mais il médite, il pousse des élans et des soupirs ; si l'homme de bien se retire, celui-ci, qui le voit partir, s'apaise et ne souffle pas. Il entre une autre fois dans un lieu saint, perce la foule, choisit un endroit pour se recueillir, et où tout le monde voit qu'il s'humilie : s'il entend des courtisans qui parlent, qui rient, et qui sont à la chapelle avec moins de silence que dans l'antichambre, il fait plus de bruit qu'eux pour les faire taire ; il reprend sa méditation, qui est toujours la comparaison qu'il fait de ces personnes avec lui-même, et où il trouve son compte. Il évite une église déserte et solitaire, où il pourrait entendre deux messes de suite, le sermon, vêpres et complies, tout cela entre Dieu et lui, sans que personne lui en sût gré : il aime la paroisse, il fréquente les temples où se fait un concours ; on n'y manque point son coup, on y est vu. [...] S'il se trouve bien d'un homme opulent, à qui il a su imposer, dont il est le parasite, et dont il peut tirer de grands secours, il ne cajole point sa femme, il ne lui fait du moins ni avance ni déclaration ; il s'enfuira, il lui laissera son manteau, s'il n'est aussi sûr d'elle que de lui-même. Il est encore plus éloigné d'employer pour la flatter et pour la séduire le jargon de la dévotion [1] ; ce n'est point par habitude qu'il le parle, mais avec dessein, et selon qu'il lui est utile, et jamais quand il ne servirait qu'à le rendre très ridicule. Il sait où trouver des femmes plus sociables et plus dociles que celle de son ami ; il ne les abandonne pas pour longtemps, quand ce ne serait que pour faire dire de soi dans le public qu'il fait des retraites : qui en effet pourrait en douter, quand on le revoit paraître avec un visage exténué et d'un homme qui ne se ménage

1. *Fausse dévotion* (note de La Bruyère).

point ? Les femmes d'ailleurs qui fleurissent et qui prospèrent à l'ombre de la dévotion [1] lui conviennent, seulement avec cette petite différence qu'il néglige celles qui ont vieilli, et qu'il cultive les jeunes, et entre celles-ci les plus belles et les mieux faites, c'est son attrait. [...] Il n'oublie pas de tirer avantage de l'aveuglement de son ami, et de la prévention où il l'a jeté en sa faveur ; tantôt il lui emprunte de l'argent, tantôt il fait si bien que cet ami lui en offre : il se fait reprocher de n'avoir pas recours à ses amis dans ses besoins ; quelquefois il ne veut pas recevoir une obole sans donner un billet, qu'il est bien sûr de ne jamais retirer ; il dit une autre fois, et d'une certaine manière, que rien ne lui manque, et c'est lorsqu'il ne lui faut qu'une petite somme ; il vante quelque autre fois publiquement la générosité de cet homme, pour le piquer d'honneur et le conduire à lui faire une plus grande largesse. Il ne pense point à profiter de toute sa succession, ni à s'attirer une donation générale de tous ses biens, s'il s'agit surtout de les enlever à un fils, le légitime héritier : un homme dévot n'est ni avare, ni violent, ni injuste, ni même intéressé ; Onuphre n'est pas dévot, mais il veut être cru tel, et par une parfaite, quoique fausse imitation de la piété, ménager sourdement ses intérêts : aussi ne se joue-t-il pas à la ligne directe, et il ne s'insinue jamais dans une famille où se trouvent tout à la fois une fille à pourvoir et un fils à établir ; il y a là des droits trop forts et trop inviolables : on ne les traverse point sans faire de l'éclat (et il l'appréhende), sans qu'une pareille entreprise vienne aux oreilles du Prince, à qui il dérobe sa marche, par la crainte qu'il a d'être découvert et de paraître ce qu'il est. Il en veut à la ligne collatérale : on l'attaque plus impunément ; il est la terreur des cousins et des cousines, du neveu et de la nièce, le flatteur et

« Onuphre n'est pas dévot, mais il veut être cru tel. »

1. *Ibid.*

l'ami déclaré de tous les oncles qui ont fait fortune ; il se donne pour l'héritier légitime de tout vieillard qui meurt riche et sans enfants, et il faut que celui-ci le déshérite, s'il veut que ses parents recueillent sa succession [1]...

LE MONTUFAR• DE SCARRON

• Avant et après Molière, Scarron et La Bruyère ont donné à leurs personnages des noms aux sonorités feutrées (Montufar, Tartuffe, Onuphre), qui évoquent en eux-mêmes la duplicité de l'hypocrite.

Les Hypocrites de Scarron, adaptation de *La Hija de Celestina* de Salas Barbadillo, présentent les aventures de trois personnages peu recommandables : Hélène, jeune et belle courtisane, son amant Montufar et la vieille Mendez. Leurs méfaits les mènent de Tolède à Séville. C'est là que, pour mieux escroquer les habitants, ils se font passer pour des dévots exemplaires. Scarron décrit en ces termes leur arrivée :

Montufar loua une maison, la meubla de meubles fort simples et se fit faire un habit noir, une soutane et un long manteau. Hélène s'habilla en dévote et emprisonna ses cheveux dans une coiffure de vieille, et Mendez, vêtue en Beate [2], fit gloire d'en faire voir de blancs et de se charger d'un gros chapelet, dont les grains pouvaient en un besoin servir à charger des fauconneaux [3]. Aux premiers jours d'après leur arrivée, Montufar se fit voir dans les rues, habillé comme je vous ai déjà dit, marchant les bras croisés et baissant les yeux à la rencontre des femmes. Il criait d'une voix à fendre les pierres : « béni soit le saint Sacrement de l'Autel et la bienheureuse Conception de la Vierge immaculée », et plusieurs autres dévotes

---

1. La Bruyère, remarque 24 du chapitre « De la Mode », *Les Caractères*, éd. R. Pignarre, GF-Flammarion, 1965, p. 345-346.
2. Dévote, en espagnol.
3. Pièces d'artillerie.

exclamations de la même force. Il faisait répéter les mêmes choses aux enfants qu'il trouvait dans les rues et les assemblait quelquefois pour leur faire chanter des hymnes, des chansons de dévotion et pour leur apprendre leur catéchisme. Il ne bougeait des prisons, il prêchait devant les prisonniers, consolait les uns et servait les autres, leur allant quérir à manger et faisant bien souvent le chemin du marché à la prison, une hotte pesante sur le dos. Ô détestable filou ! il ne te manquait donc plus qu'à faire l'hypocrite pour être le plus accompli scélérat du monde [1].

Un jour, un gentilhomme, ancien amant d'Hélène, reconnaît les trois compères à la sortie de l'église. À peine commence-t-il à les invectiver que le peuple se jette sur lui. Montufar intervient et apaise la foule. On reconnaîtra dans ce passage la source de la scène 6 du troisième acte du *Tartuffe* :

Il le releva de terre, où l'on l'avait jeté, l'embrassa et le baisa, tout plein qu'il était de sang et de boue, et fit une rude réprimande au peuple. « Je suis le méchant, disait-il à ceux qui le voulurent entendre, je suis le pécheur, je suis celui qui n'ai jamais rien fait d'agréable aux yeux de Dieu. Pensez-vous, continuait-il, parce que vous me voyez vêtu en homme de bien, que je n'aie pas été toute ma vie un larron, le scandale des autres et la perdition de moi-même ? Vous êtes trompés, mes frères ; faites-moi le but de vos injures et de vos pierres, et tirez sur moi vos épées [2]. »

---

1. Scarron, *Les Hypocrites*, in *Nouvelles tragi-comiques* (1661), éd. R. Guichemerre, STFM, 1986, p. 156-157 (nous modernisons l'orthographe).
2. *Ibid.*, p. 158-159.

3 — *La critique de la religion*

Le personnage de Tartuffe est un composite. Molière a réalisé son portrait à partir de plusieurs figures de religieux : le curé concupiscent de la farce ou de la nouvelle réaliste, les jésuites, tournés en ridicule par Pascal dans *Les Provinciales*, les jansénistes et les membres de la Compagnie du Saint-Sacrement. C'est dire que les cibles de Molière sont multiples, et qu'il n'a pas voulu fustiger une catégorie particulière d'hommes d'Église mais bien plutôt les travers généraux de la religion et notamment ses petits arrangements avec la morale. C'est dire aussi que la pièce de Molière ne pouvait qu'exciter les critiques, puisque chacun pouvait s'y reconnaître.

BOCCACE, *LE DÉCAMÉRON*

L'une des cent nouvelles du *Décaméron* raconte le stratagème mis au point par un abbé pour obtenir les faveurs d'une femme mariée et pour jouir d'elle en toute impunité. Un jour que la femme vient à confesse se plaindre de son mari, il lui suggère de l'envoyer au Purgatoire pour le guérir de sa jalousie. Mais il attend en retour une récompense de la dame :

– Madame, vous pouvez me donner l'équivalent de ce que je mets en train pour vous. De même que je vais prendre des mesures pour votre bonheur et votre tranquillité d'esprit, vous pouvez œuvrer pour ma délivrance et le salut de ma vie.

– S'il en est ainsi, vous m'y voyez disposée.

– Vous m'accorderez donc votre amour, vous me ferez la joie de vous posséder, vous pour qui je brûle et me consume tout entier !

La dame fut interloquée de ces propositions.

– Grand Dieu ! mon père, qu'est-ce que vous me demandez là ? Je vous prenais pour un saint. Est-ce la mode que les saints, quand les femmes sont venues leur demander conseil, témoignent de pareilles exigences ?

– Mon âme, ne soyez pas surprise. La sainteté n'est nullement amoindrie en l'affaire. C'est l'âme qui est son séjour, et ce que je vous demande est péché du corps. Quoi qu'il en soit, vos charmes si prenants ont eu sur moi tant d'effet qu'Amour me contraint d'agir ainsi. Oui, cette beauté, vous pouvez en être fière plus qu'une autre femme de la sienne, en vous disant qu'elle fait la joie des saints, accoutumés pourtant à toutes celles du Paradis. Il y a plus ; j'ai beau être abbé, je suis un homme comme les autres, et, tel que vous me voyez, je ne suis pas encore un vieillard [1].

Ce texte de Boccace a pu suggérer à Molière l'idée du fameux vers de la scène 3 du troisième acte : « Ah ! pour être dévot, je n'en suis pas moins homme. »

La satire des jésuites : *Les Provinciales* de Pascal

Composées entre janvier 1656 et mars 1657 pour défendre Arnauld et Port-Royal dans la controverse des « cinq propositions• », *Les Provinciales* proposent une satire féroce des jésuites et tout particulièrement de leurs conceptions en matière de mœurs. Chef-d'œuvre d'ironie et de style, le texte eut le mérite de rendre publics des débats qui n'intéressaient

*• En 1649, la faculté de théologie de Paris (la Sorbonne) avait demandé la condamnation de cinq « propositions » concernant la grâce, et qu'elle prétendait tirées de l'*Augustinus *de Jansénius, ouvrage de référence de la doctrine janséniste. Une longue polémique entre jansénistes et jésuites s'ensuivit.*

1. Boccace, *Le Décaméron*, troisième journée, huitième nouvelle, trad. J. Bourciez, Bordas, coll. « Classiques Garnier », 1988, p. 236-237.

jusqu'alors que les théologiens. Sept ans après leur première publication, les critiques de Pascal peuvent faire l'objet de citations à peine masquées dans *Le Tartuffe.* C'est à deux théories emblématiques de la théologie morale des jésuites que Tartuffe emprunte quelques-unes de ses réflexions dans les scènes où il tente de séduire Elmire : la direction d'intention et la restriction mentale.

La direction d'intention est évoquée par Pascal dans la septième lettre. L'auteur fictif des lettres, un jeune Parisien, rapporte à un ami provincial une discussion qu'il a eue avec un père jésuite. Ce dernier examine dans quelles conditions un péché peut n'être pas péché :

> Pour vous témoigner que nous ne permettons pas tout, sachez que, par exemple, nous ne souffrons jamais d'avoir l'intention formelle de pécher pour le seul dessein de pécher ; et que quiconque s'obstine à n'avoir point d'autre fin dans le mal que le mal même, nous rompons avec lui ; cela est diabolique : voilà qui est sans exception d'âge, de sexe, de qualité. Mais quand on n'est pas dans cette malheureuse disposition, alors nous essayons de mettre en pratique notre méthode de *diriger l'intention*, qui consiste à se proposer pour fin de ses actions un objet permis. Ce n'est pas qu'autant qu'il est en notre pouvoir nous ne détournions les hommes des choses défendues ; mais, quand nous ne pouvons pas empêcher l'action, nous purifions au moins l'intention ; et ainsi nous corrigeons le vice du moyen par la pureté de la fin [1].

---

1. Pascal, *Les Provinciales*, éd. L. Cognet et G. Ferreyrolles, Bordas, coll. « Classiques Garnier », 1992, p. 116.

Dans la neuvième lettre, un nouveau problème est posé : comment éviter le mensonge, qui est en soi un péché ? Pour le résoudre, le père jésuite propose deux solutions : la première consiste à utiliser des équivoques, c'est-à-dire des mots ambigus ; la seconde est la doctrine de la restriction mentale :

Mais savez-vous bien comment il faut faire quand on ne trouve point de mots équivoques ? Non, mon Père. Je m'en doutais bien, dit-il ; cela est nouveau : c'est la doctrine des restrictions mentales. Sanchez[1] la donne au même lieu : *On peut jurer*, dit-il, *qu'on n'a pas fait une chose, quoiqu'on l'ait faite effectivement, en entendant en soi-même qu'on ne l'a pas faite un certain jour ou avant qu'on fût né, ou en sous-entendant quelque autre circonstance pareille, sans que les paroles dont on se sert aient aucun sens qui le puisse faire connaître ; et cela est fort commode en beaucoup de rencontres*[2], *et est toujours très juste quand cela est nécessaire ou utile pour la santé, l'honneur ou le bien.*

Comment ! mon Père, et n'est-ce pas là un mensonge, et même un parjure ? Non, dit le Père : Sanchez le prouve au même lieu, et notre P. Filliutius aussi [...] ; parce que, dit-il, *c'est l'intention qui règle la qualité de l'action.* Et il y donne encore [...] un autre moyen plus sûr d'éviter le mensonge : c'est qu'après avoir dit tout haut : *Je jure que je n'ai point fait cela*, on ajoute tout bas, *aujourd'hui* ; ou qu'après avoir dit tout haut : *Je jure*, on dise tout bas, *que je dis*, et que l'on continue ensuite tout haut, *que je n'ai point fait cela.* Vous voyez bien que c'est dire la vérité[3].

1. Thomas Sanchez, théologien jésuite auteur d'un traité de morale.
2. Situations.
3. Éd. cit., p. 164.

Si les excès de la morale jésuite étaient évidemment visés par Molière, il semble que les jésuites virent dans la pièce une critique des jansénistes. Le goût de la contrition, le rigorisme feint de Tartuffe pouvaient former une caricature du jansénisme. Dans une lettre où il répond aux attaques du janséniste Nicole contre le théâtre, Racine fait état de ces deux interprétations symétriques et antithétiques. Évoquant une lecture privée du *Tartuffe* qui eut lieu chez une personne proche des jansénistes, il explique :

> C'était chez une personne qui en ce temps-là était fort de vos amies ; elle avait eu beaucoup d'envie d'entendre lire *Le Tartuffe* ; et l'on ne s'opposa point à sa curiosité. On vous avait dit que les jésuites étaient joués dans cette comédie ; les jésuites, au contraire, se flattaient qu'on en voulait aux jansénistes [1].

La Compagnie du Saint-Sacrement

La dernière cible de Molière, qui est à la fois la moins visible et la plus dangereuse, est la Compagnie du Saint-Sacrement de l'Autel. Cette société secrète fondée en 1627 rassemble des hommes de la noblesse et de la haute bourgeoisie, et exerce de ce fait une influence importante. Ses membres ont pour tâche principale de réformer les mœurs des concitoyens, et ils peuvent utiliser la force pour y parvenir. Quoique secrète, la Compagnie fait parler d'elle par ses manières d'agir : de

---

1. Racine, *Lettre aux deux apologistes de l'auteur des Hérésies imaginaires*, in *Œuvres complètes*, t. II, éd. R. Picard, Gallimard, coll. « Bibliothèque de la Pléiade », 1966, p. 28.

nombreux documents contemporains évoquent son ingérence dans les affaires privées, et notamment dans les relations entre époux. Or ces documents se multiplient précisément à partir des années 1660, et certains impliquent en outre le prince de Conti, ancien protecteur de Molière devenu dévot.

La situation du pouvoir royal à l'égard de la Compagnie a varié : alors qu'elle jouissait du soutien de Louis XIII et de la reine mère, elle suscite l'hostilité de Louis XIV et de ses ministres, et ce, pour deux raisons essentiellement : parce que ses membres condamnent l'atmosphère de fête voire de débauche qui règne à la Cour du jeune monarque ; parce qu'ils sont en outre des ultramontains• rigoureux.

• Les ultramontains soutiennent le pouvoir absolu du pape alors que, pour les gallicans, l'Église de France n'est pas assujettie en tout à l'autorité pontificale.

Que Molière ait eu à cœur de critiquer la Compagnie du Saint-Sacrement, cela n'est plus contestable [1] : la préface et le premier placet le laissent entendre de manière implicite ; surtout, Molière a placé dans la bouche de Tartuffe la devise de la Compagnie (« Pour la gloire du Ciel et le bien du prochain »). Or le roi, sans aucun doute, voyait d'un bon œil cette critique. Le père Rapin va même plus loin en affirmant dans ses *Mémoires* que la pièce est une commande de Louis XIV. Dans les années 1650, « ceux mêmes qui furent [de la "secte des dévots"] devinrent odieux à la Cour par l'affectation qu'ils eurent de donner ou de faire donner des avis au ministre par des voies choquantes et nulle-

1. On se reportera sur la question aux travaux de John Cairncross, et notamment à *Molière, bourgeois et libertin*, Nizet, 1963.

ment honnêtes ; ce qui irrita le Cardinal [1] et l'obligea dans la suite à rendre ces gens suspects au Roi, lequel, pour les décrier, les fit jouer quelques années après sur le théâtre par Molière, le plus célèbre des comédiens de son temps [2] ».

1. Mazarin.
2. Père Rapin, *Mémoires*, t. I, éd. Aubineau, 1865, p. 294.

4 Religion et théâtre

La querelle du *Tartuffe* prend place dans un débat général sur la moralité du théâtre. Celui-ci met aux prises des hommes d'Église et des dévots, d'un côté, des dramaturges et des théoriciens du théâtre, de l'autre. Les premiers ne croient pas à l'utilité du théâtre et le jugent intrinsèquement pernicieux ; les seconds, parmi lesquels Molière se range, défendent au contraire l'idée que la représentation théâtrale instruit tout en divertissant [1]. La querelle de la moralité du théâtre traverse tout le siècle, mais elle est ravivée dans les années 1665-1666 par deux événements concomitants : d'une part, la publication, coup sur coup, de deux traités où le théâtre se voit condamné ; d'autre part, la représentation, à dix mois d'intervalle, du *Tartuffe* puis de *Dom Juan*, pièces dans lesquelles Molière transgresse un interdit majeur en plaçant au centre de son œuvre des questions qui touchent à la religion.

LES TRAITÉS CONTRE LA COMÉDIE* DE NICOLE ET DE CONTI

Les deux traités contre la comédie qui paraissent en 1665 et en 1666 s'autorisent d'une longue tradition de critique du théâtre et des spectacles en général, qui

1. Sur cette question, voir L. Thirouin, *L'Aveuglement salutaire. Le réquisitoire contre le théâtre dans la France classique*, Champion, 1997.

trouve son origine chez les Pères de l'Église et tout particulièrement chez Tertullien et saint Augustin. Le titre et la composition du second traité sont d'ailleurs éloquents : le prince de Conti, alors membre de la Compagnie du Saint-Sacrement, partage son *Traité de la comédie et des spectacles, selon la tradition de l'Église* en deux parties. Dans la première, il prend pour objet le théâtre contemporain ; dans la seconde, il cite les actes des conciles et les textes des Pères de l'Église qui forment « la tradition de l'Église sur la comédie et les spectacles ». Pierre Nicole, auteur du premier traité, est l'un des chefs de file du jansénisme. Si le prince de Conti vise surtout Molière, qu'il a protégé pendant quelques années, Nicole a pour objet le genre tragique et derrière lui l'ancien élève de Port-Royal qu'est Racine.

Pour Conti, la comédie est plus immorale que la tragédie parce que son principal ressort est le rire, et que, pour faire rire le spectateur, elle offre une peinture grimaçante de la réalité :

Si l'on veut regarder la simple comédie dans son progrès et dans sa perfection, soit pour sa matière, et pour ses circonstances, soit pour ses effets ; n'est-il pas vrai qu'elle traite presque toujours des sujets peu honnêtes, ou accompagnés d'intrigues scandaleuses ? Les expressions même n'en sont-elles pas sales, ou du moins immodestes ? Peut-on nier ces vérités des plus belles comédies d'Aristophane•, et de celles de Plaute, et de Térence•• ?

[...] Si les comédies qu'on a jouées depuis trente ans en France sont exemptes de ces vices, ne sont-elles pas dignes du même blâme que

• Dès Aristophane (– 450 à – 386), la comédie s'arroge le droit de tout critiquer librement. Son œuvre est un tel miroir de la vie athénienne que Platon, voulant donner une idée de la constitution à Denys de Syracuse, envoya au tyran les pièces d'Aristophane.

•• La comédie romaine connut deux premières périodes, que l'on rattache aux œuvres de Plaute (– 254 à – 184) et de Térence (– 190 à – 159). La comédie de Plaute est première, le langage y est rude, le rythme allègre, les personnages sont moins des individus que des types. Celle de Térence se montre plus soucieuse d'émotions délicates, de morale et tente d'éviter les procédés grossiers L'œuvre de Molière n'apparaît-elle pas dès lors comme une synthèse, alliant au farcesque un souci de vérité psychologique ?

nos tragédies et nos tragi-comédies par la manière d'y traiter nos passions[1] ?

Si la « grande comédie », telle qu'elle a été mise au point par Molière notamment, est « exempte de ces vices », c'est qu'elle a tous les défauts du genre noble qu'est la tragédie. Ainsi pour Nicole :

> Toutes les pièces de M. de Corneille, qui est sans doute le plus honnête de tous les poètes de théâtre, ne sont que de vives représentations de passions d'orgueil, d'ambition, de jalousie, de vengeance, et principalement de cette vertu romaine, qui n'est autre chose qu'un furieux amour de soi-même. Plus il colore ces vices d'une image de grandeur et de générosité, plus il les rend dangereux et capables d'entrer dans les âmes les mieux nées.

Nicole explique ensuite pourquoi les vertus chrétiennes ne sont pas propres à paraître sur le théâtre :

> Il est si vrai que la comédie est presque toujours une représentation de passions vicieuses que la plupart des vertus chrétiennes sont incapables de paraître sur le théâtre. Le silence, la patience, la modération, la sagesse, la pauvreté, la pénitence ne sont pas des vertus dont la représentation puisse divertir des spectateurs, et surtout on n'y entend jamais parler de l'humilité ni de la souffrance des injures. Ce serait un pauvre personnage de comédie qu'un religieux modeste et silencieux. Il faut quelque chose de grand et d'élevé selon les hommes, et au moins quelque chose de vif et d'animé, ce qui ne se rencontre point dans la gravité et la sagesse chrétienne. Et c'est pourquoi ceux qui ont voulu introduire des saints et des saintes sur le

1. Conti, *Traité de la comédie et des spectacles, selon la tradition de l'Église*, P. Promé, 1666, p. 16-17.

théâtre[1] ont été contraints de les faire paraître orgueilleux, et de leur mettre dans la bouche des discours plus propres à ces héros de l'ancienne Rome qu'à des saints et à des martyrs[2].

La condamnation du *Tartuffe*

Dans ce contexte, on comprend plus facilement la violence des attaques lancées contre Molière : franche comédie, qui s'apparente par certains aspects à la farce, *Le Tartuffe* porte à la scène un sujet qui touche à la religion et, crime impardonnable, il fait vaciller la frontière entre vraie et fausse dévotion. En choisissant pour personnage principal un hypocrite, Molière se rend ainsi coupable de « jouer » non seulement la fausse mais également la vraie religion. C'est ce que lui reprochent, en des termes extrêmement violents[3], Pierre Roullé, curé de Paris, le sieur de Rochemont, dont on a pu penser qu'il était proche des jansénistes, et enfin le père jésuite Bourdaloue.

Pierre Roullé, *Le Roi glorieux au monde ou Louis XIV le plus glorieux de tous les rois du monde*

Le Roi glorieux au monde, panégyrique flagorneur de Louis XIV, a été ajouté par Pierre Roullé à un ouvrage de théologie intitulé *L'Homme glorieux ou la Dernière*

1. Nicole renvoie encore à Corneille (*Polyeucte* et *Théodore*).
2. Pierre Nicole, *Traité de la comédie*, s. d. (1665), p. 35-36.
3. Voir le premier placet au roi (p. 36), où Molière reprend l'essentiel des critiques de Roullé, et la deuxième section de la présentation (p. 15).

Perfection de l'homme achevée par la gloire éternelle. Ce passage consacré à la représentation du *Tartuffe*, alors très récente puisque l'achevé d'imprimer de l'ouvrage date du mois d'août 1664, permet à l'auteur de composer un tableau où s'opposent l'impie Molière, suppôt du diable, et le Roi Très-Chrétien, représentant de Dieu sur terre – tableau qui correspond sans doute fort mal à la réalité de la condamnation royale :

Un homme, ou plutôt un démon vêtu de chair et habillé en homme, et le plus signalé impie et libertin qui fut jamais dans les siècles passés, avait eu assez d'impiété et d'abomination pour faire sortir de son esprit diabolique une pièce toute prête d'être rendue publique en la faisant exécuter sur le théâtre, à la dérision de toute l'Église, et au mépris du caractère le plus sacré et de la fonction la plus divine, et au mépris de ce qu'il y a de plus saint dans l'Église, ordonnée du Sauveur pour la sanctification des âmes, à dessein d'en rendre l'usage ridicule, contemptible, odieux. Il méritait, par cet attentat sacrilège et impie, un dernier supplice exemplaire et public, et le feu même, avant-coureur de celui de l'Enfer, pour expier un crime si grief [1] de lèse-majesté divine, qui va à ruiner la Religion catholique, en blâmant et jouant sa plus religieuse et sainte pratique, qui est la conduite et direction des âmes et des familles, par de sages guides et conducteurs pieux [2]. Mais Sa Majesté, après lui avoir fait un sévère reproche, animée d'une forte colère, par un trait de sa clémence ordinaire, en laquelle il imite la douceur essentielle à Dieu, lui a, par abolition, remis son insolence et pardonné sa hardiesse démoniaque, pour lui donner le temps d'en faire pénitence publique et solennelle toute sa vie. Et, afin d'arrêter, avec

1. Grave.
2. Tartuffe est en effet le directeur de conscience d'Orgon.

succès, la vue et le débit de sa production impie et irréligieuse, et de sa poésie licencieuse et libertine, Elle lui a ordonné sur peine de la vie, d'en supprimer et déchirer, étouffer et brûler tout ce qui en était fait, et ne plus rien faire à l'avenir de si indigne et infamant, ni rien produire au jour de si injurieux à Dieu, et outrageant l'Église, la religion, les sacrements, et les officiers les plus nécessaires au salut [1].

LES *OBSERVATIONS SUR LE FESTIN DE PIERRE* DU SIEUR DE ROCHEMONT

La critique formulée par le sieur de Rochemont porte principalement sur *Dom Juan*. Mais il montre que les deux pièces sont étroitement liées et participent d'une même volonté de saper les fondements de la religion catholique :

Après avoir répandu dans les âmes ces poisons funestes, qui étouffent la pudeur et la honte ; après avoir pris soin de former des coquettes, et de donner aux filles des instructions dangereuses, après des écoles fameuses d'impureté, [Molière] en a tenu d'autres pour le libertinage, et il marque visiblement dans toutes ses pièces le caractère de son esprit ; il se moque également du Paradis et de l'Enfer, et croit justifier suffisamment ses railleries, en les faisant sortir de la bouche d'un étourdi [...]. Et voyant qu'il choquait toute la Religion, et que tous les gens de bien lui seraient contraires, il a composé son *Tartuffe* et a voulu rendre les dévots des ridicules ou des hypocrites : il a cru qu'il ne pouvait défendre ses maximes, qu'en faisant la satire de ceux qui les pouvaient condamner. Certes, c'est bien à faire à Molière

1. Pierre Roullé, *Le Roi glorieux au monde* (1664), éd. P. Lacroix, Genève, J. Gay et fils éditeurs, « Collection moliéresque », 1867, p. 33-35.

de parler de la dévotion, avec laquelle il a si peu de commerce, et qu'il n'a jamais connue ni par pratique, ni par théorie. L'hypocrite et le dévot ont une même apparence, ce n'est qu'une même chose dans le public, il n'y a que l'intérieur qui les distingue ; et afin « de ne point laisser d'équivoque et d'ôter tout ce qui peut confondre le bien et le mal[1] », il devait faire voir ce que le dévot fait en secret, aussi bien que l'hypocrite . Le dévot jeûne, pendant que l'hypocrite fait bonne chère ; il se donne la discipline et mortifie ses sens, pendant que l'autre s'abandonne aux plaisirs, et se plonge dans le vice et la débauche à la faveur des ténèbres. L'homme de bien soutient la chasteté chancelante, et la relève lorsqu'elle est tombée, au lieu que l'autre, dans l'occasion, tâche à la séduire ou à profiter de sa chute. Et comme d'un côté, Molière enseigne à corrompre la pudeur, il travaille de l'autre à lui ôter tous les secours qu'elle peut recevoir d'une véritable et solide piété[2].

« L'hypocrite et le dévot ont une même apparence, [...] il n'y a que l'intérieur qui les distingue. »

Bourdaloue, *Sermon sur l'hypocrisie*

Dans un sermon qu'il prononça devant la Cour, sans doute en 1691, le père jésuite Bourdaloue invite les fidèles à craindre l'hypocrisie, qui sert de masque aux impies. L'allusion voilée à l'auteur du *Tartuffe*, dont la représentation est autorisée depuis plus de vingt ans, va dans le même sens que les critiques précédentes. Comme le sieur de Rochemont, Bourdaloue met en cause la représentation de l'hypocrisie proposée par Molière. Parce qu'elle est imparfaite à ses

1. L'auteur cite un extrait du premier placet.
2. *Observations sur une comédie de Molière intitulée Le Festin de Pierre. Par B. A. Sr. D. R.* [1665], éd. Jacob, Genève, J. Gay et fils éditeurs, « Collection moliéresque », 1869, p. 9-11.

yeux, elle incite le spectateur à rire à la fois de la fausse et de la vraie dévotion.

Et voilà, chrétiens, ce qui est arrivé lorsque des esprits profanes et bien éloignés de vouloir entrer dans les intérêts de Dieu ont entrepris de censurer l'hypocrisie, non point pour en réformer l'abus, ce qui n'est pas de leur ressort, mais pour faire une espèce de diversion dont le libertinage dût profiter, en concevant et faisant concevoir d'injustes soupçons de la vraie piété, par de malignes représentations de la fausse. Voilà ce qu'ils ont prétendu, exposant sur le théâtre et à la risée publique un hypocrite imaginaire, ou même, si vous voulez, un hypocrite réel ; et tournant dans sa personne les choses les plus saintes en ridicule, la crainte des jugements de Dieu, l'horreur du péché, les pratiques les plus louables en elles-mêmes et les plus chrétiennes. Voilà ce qu'ils ont affecté mettant dans la bouche de cet hypocrite des maximes de religion faiblement soutenues, au même temps qu'ils les supposaient fortement attaquées ; lui faisant blâmer les scandales du siècle d'une manière extravagante ; le représentant consciencieux jusqu'à la délicatesse et au scrupule sur les points les moins importants, où toutefois il faut être, pendant qu'il se portait d'ailleurs aux crimes les plus énormes ; le montrant sous un visage de pénitent, qui ne servait qu'à couvrir ses infamies ; lui donnant selon leur caprice, un caractère de piété la plus austère, ce semble, et la plus exemplaire, mais, dans le fond, la plus mercenaire et la plus lâche.

Damnables inventions pour humilier les gens de bien, pour les rendre tous suspects, pour leur ôter la liberté de se déclarer en faveur de la vertu tandis que le vice et le libertinage triomphaient. Car ce sont là, chrétiens, les stratagèmes et les ruses dont le démon s'est prévalu ; et tout cela fondé sur le prétexte de l'hypocrisie [1].

---

1. Texte cité par G. Mongrédien in *Recueil des textes et des documents relatifs à Molière*, CNRS, 1965, vol. 1, p. 332-333.

5 Castigat ridendo mores

La querelle autour du *Tartuffe* est de nature idéologique et non littéraire ; le véritable objet du débat est en définitive la question de l'utilité du théâtre, et tout particulièrement de la comédie. Si les ennemis de Molière mettent en avant le danger de la représentation comique, renforcé dans le cas de *Tartuffe* puisque Molière y traite de questions religieuses – qui sont aussi politiques –, le dramaturge s'autorise au contraire de la tradition antique pour affirmer que la comédie a pour fonction de corriger les vices des hommes par le rire. C'est cette conception de la comédie qui fonde l'argumentaire de la préface, où Molière retourne les critiques des ennemis du théâtre en assignant fermement à la comédie une fonction morale. La préface propose en outre un recensement rapide des procédés utilisés pour mener à bien ce projet : l'arrivée tardive de Tartuffe, « préparée » pendant les deux premiers actes, l'opposition éclatante entre le caractère du « méchant homme » et celui du « véritable homme de bien » qu'est Cléante [1].

1. Voir la préface de Molière, p. 30-31.

La Lettre sur la comédie de L'Imposteur

Assurée en partie par Molière lui-même, qui démonte rapidement en dramaturge les mécanismes de la représentation comique, la défense du *Tartuffe*, c'est-à-dire de son caractère moral, est prise en charge de manière magistrale par l'auteur anonyme[1] de la *Lettre sur la comédie de L'Imposteur*. Celle-ci paraît en 1667, quelques mois après l'unique représentation de la deuxième version de la pièce. Elle se présente en deux parties : la première est un long résumé de la pièce, la deuxième propose une réflexion sur la notion de « ridicule », qui est au centre du dispositif moliéresque. Le point de départ de ce long développement est une analyse du discours de Tartuffe dans les scènes de séduction :

> La seconde de mes réflexions est sur un fruit véritablement accidentel[2], mais aussi très important, que non seulement je crois qu'on peut tirer de la représentation de *L'Imposteur*, mais même qui en arriverait infailliblement. C'est que jamais il ne s'est frappé un plus rude coup contre tout ce qui s'appelle galanterie solide en termes honnêtes, que cette pièce ; et que si quelque chose est capable de mettre la fidélité des mariages à l'abri des artifices de ses corrupteurs, c'est assurément cette comédie ; parce que les voies les plus ordinaires et les plus fortes par où on a coutume d'attaquer les femmes, y sont tournées en ridicule d'une

---

1. La *Lettre sur la comédie de L'Imposteur* a été fréquemment attribuée à Donneau de Visé ; le critique anglais Robert McBride a récemment avancé le nom de La Mothe Le Vayer, libertin et grand ami de Molière.
2. Secondaire, accessoire.

manière si vive et si puissante, qu'on paraîtrait sans doute ridicule, quand on voudrait les employer après cela, et par conséquent on ne réussirait pas.

[...] Je suis persuadé que le degré de ridicule où cette pièce ferait paraître tous les entretiens et les raisonnements qui sont les préludes naturels de la galanterie du tête-à-tête, qui est la plus dangereuse, je prétends, dis-je, que ce caractère ridicule, qui serait inséparablement attaché à ces voies et à ces acheminements de corruption, par cette représentation, serait assez puissant et assez fort pour contrebalancer l'attrait qui fait donner dans le panneau les trois quarts des femmes qui y donnent [1].

Pour mener à bien son raisonnement, l'auteur affirme qu'il lui faut « traiter à fond du ridicule, qui est une des plus sublimes matières de la véritable morale ».

Quoique la nature nous ait fait naître capables de connaître la raison pour la suivre, pourtant jugeant bien que si elle n'y attachait quelque marque sensible, qui nous rendît cette connaissance facile, notre faiblesse et notre paresse nous priveraient de l'effet d'un si rare avantage, elle a voulu donner à cette raison quelque sorte de forme extérieure et de dehors reconnaissable. Cette forme est en général quelque motif de joie, et quelque matière de plaisir que notre âme trouve dans tout objet moral. Or ce plaisir, quand il vient des choses raisonnables, n'est autre que cette complaisance délicieuse qui est excitée dans notre esprit par la connaissance de la vérité et de la vertu ; et quand il vient de la vue de l'ignorance et de l'erreur, c'est-à-dire de ce qui manque de raison, c'est proprement le sentiment par lequel nous jugeons quelque chose ridicule. Or comme la raison produit dans l'âme une joie mêlée

1. *Lettre sur la comédie de L'Imposteur*, 1667 (2e éd. 1668), p. 57-58.

d'estime, le ridicule y produit une joie mêlée de mépris ; parce que toute connaissance qui arrive à l'âme produit nécessairement dans l'entendement un sentiment d'estime ou de mépris, comme dans la volonté un mouvement d'amour ou de haine.

Le ridicule est donc la forme extérieure et sensible que la providence de la nature a attachée à tout ce qui est déraisonnable, pour nous en faire apercevoir et nous obliger à le fuir. Pour connaître ce ridicule, il faut connaître la raison dont il signifie le défaut, et voir en quoi elle consiste. Son caractère n'est autre, dans le fond, que la convenance, et sa marque sensible, la bienséance, c'est-à-dire le fameux *quod decet* des Anciens : de sorte que la bienséance est à l'égard de la convenance ce que les platoniciens disent que la beauté est à l'égard de la bonté, c'est-à-dire qu'elle en est la fleur, le dehors, le corps et l'apparence extérieure ; que la bienséance est la raison apparente, et que la convenance est la raison essentielle. De là vient que ce qui sied bien est toujours fondé sur quelque raison de convenance, comme l'indécence sur quelque disconvenance, c'est-à-dire le ridicule sur quelque manque de raison. Or si la disconvenance est l'essence du ridicule, il est aisé de voir pourquoi la galanterie de Panulphe paraît ridicule, et l'hypocrisie en général aussi ; car ce n'est qu'à cause que les actions secrètes des bigots ne conviennent pas à l'idée que leur dévote grimace et l'austérité de leurs discours a fait former d'eux au public [1].

« Le ridicule est donc la forme extérieure et sensible que la providence de la nature a attachée à tout ce qui est déraisonnable, pour nous en faire apercevoir et nous obliger à le fuir. »

Fondé sur quelque « défaut de raison », expression d'un manque ontologique, le ridicule est encore, dans cette deuxième moitié du XVIIe siècle, une notion fondamentale qui s'oppose à l'honnêteté. L'honnête homme incarne les normes sociales et morales comme le ridicule les transgresse, bafouant la raison qui préside à leur conception. Les siècles suivants verront l'affadissement conjoint de ces notions : dépouillé de son substrat moral, le ridicule disqualifie toujours le mondain, mais en tant que simple manquement aux conventions, accident formel, demeurant néanmoins source inépuisable de comique.

1. *Ibid.*, p. 59-60. On trouvera la totalité du texte de cette lettre dans l'édition des *Œuvres complètes* de Molière par G. Couton, Gallimard, coll. « Bibliothèque de la Pléiade », 1971, vol. 1, p. 1149-1180.

Patrick Dandrey, *Molière ou l'Esthétique du ridicule*

La spécificité de la comédie moliéresque reposerait ainsi sur une actualisation particulière de la notion de ridicule. Marque d'un écart, d'une déviance par rapport à la norme et à la raison, le ridicule fournit au poète comique la matière première de ses pièces, mais il est aussi retravaillé, stylisé dans les pièces elles-mêmes pour satisfaire la double attente des spectateurs, à savoir le plaisir et l'instruction. Patrick Dandrey a remarquablement analysé ce rapport dialectique que la comédie moliéresque entretient avec le réel, et qui est fondé précisément sur le concept de ridicule, rapporté à une norme « naturelle », celle de la Cour :

En exploitant les effets dissonants qui attentent à l'harmonie naturelle, sociale et morale, Molière a défini l'esthétique d'une comédie qui atteigne à la vérité par le rire et au rire par la vérité. De sorte que ce poète avant tout comédien, ce praticien de la scène, est parvenu à remplir les desseins de la poétique ancienne, dans un heureux équilibre entre le goût mondain, l'élégance moyenne, la médiocrité dorée d'une part, et de l'autre l'exigence de vérité supérieure, le sens de l'absolu et des grands desseins, la nature dans sa force. Fondant cet équilibre sur le plaisir, il a su retenir en tant que poète dramatique favori de la cour de Louis XIV la fleur de l'idéal mondain incarné dans le goût sûr et raffiné de l'atticisme français, idéal de médiocrité dorée et de naturel élégant. Et donc, puisqu'il sacrifiait volontiers à l'exigence du naturel et du plaisir que promouvait ce courant, il lui était aisé d'en faire les critères auxquels rapporter les difformités et les rugosités dont il nourrissait sa verve comique, et de transcender celle-ci en une optique comique sur les travers qui déforment la nature. [...] Il s'ensuit, à notre sens, qu'une esthétique du naturel et une éthique de la Nature idéale, si elles ne jouent pas à jeu égal avec celles du ridicule dans son théâtre, en demeurent nécessairement les partenaires obligées : pas d'esthétique du ridicule sans une éthique de la difformité, donc sans une philosophie de la Nature méditée et revendiquée [1].

---

1. Patrick Dandrey, *Molière ou l'Esthétique du ridicule*, Klincksieck, 1992, p. 128.

BIBLIOGRAPHIE

Éditions

Molière, *Œuvres complètes*, éd. Georges Couton, Gallimard, coll. « Bibliothèque de la Pléiade », 1971, vol. 1.

Molière, *Œuvres complètes*, éd. Georges Mongrédien, GF-Flammarion, 1965, vol. 2.

Sur le théâtre du XVIIe siècle

Gabriel Conesa, *La Comédie de l'âge classique. 1630-1715*, Seuil, coll. « Écrivains de toujours », 1995.

Jacques Scherer, *La Dramaturgie classique en France*, Nizet, 1951.

Véronique Sternberg-Grenier, *Le Comique*, Flammarion, coll. « GF-Corpus Lettres », 2003.

Véronique Sternberg-Grenier, *La Poétique de la comédie*, SEDES, coll. « Campus », 1999.

Laurent Thirouin, *L'Aveuglement salutaire. Le réquisitoire contre le théâtre dans la France classique*, Champion, 1997.

Sur Molière

Claude Bourqui, *Les Sources de Molière*, SEDES, 1999.

Claude Bourqui et Claudio Vinti, *Molière à l'école italienne. Le lazzo dans la création moliéresque*, L'Harmattan, 2003.

C.E.J. Caldicott, *La Carrière de Molière entre protecteurs et éditeurs*, Amsterdam-Atlanta, Rodopi, 1998.

Gabriel Conesa, *Le Dialogue moliéresque*, PUF, 1983.
Michel Corvin, *Molière et ses metteurs en scène d'aujourd'hui : pour une analyse de la représentation*, Presses universitaires de Lyon, 1985.
Patrick Dandrey, *Molière ou l'Esthétique du ridicule*, Klincksieck, 1992.
Gérard Defaux, *Molière ou les Métamorphoses du comique*, Lexington, French Forum Publishers, 1980 ; 2e éd., Klincksieck, 1992.
Georges Forestier, *Molière*, Bordas, coll. « En toutes lettres », 1990.
Jean de Guardia, *Poétique de Molière. Comédie et répétition*, Genève, Droz, 2007.
Madeleine Jurgens et Elizabeth Maxfield-Miller, *Cent Ans de recherches sur Molière*, SEVPEN, 1963.
Antony McKenna, *Molière dramaturge libertin*, Champion classiques, coll. « Essais », 2005.
Gustave Michaut, *Les Luttes de Molière*, Hachette, 1925.
Georges Mongrédien, *Recueil des textes et des documents relatifs à Molière*, CNRS, 1965, 2 vol.
Brice Parent, *Variations comiques : les réécritures de Molière par lui-même*, Klincksieck, 2000.
Signalons également le site internet : www.toutmoliere.net

SUR *LE* TARTUFFE

Erich Auerbach, *Mimésis. La représentation de la réalité dans la littérature occidentale*, 1946 ; trad. française 1968 ; rééd. Gallimard, coll. « Tel », 1987, p. 365 *sq*.
Francis Baumal, *Molière et les dévots*, éd. du Livre mensuel, 1919.
Francis Baumal, *Tartuffe et ses avatars*, Nourry, 1925.
Jules Brody, « Amours de Tartuffe », *Les Visages de l'amour au XVIIe siècle*, Travaux de l'université de Toulouse-Le Mirail, 1984, p. 227-242.
Philip F. Butler, « Orgon le dirigé », *Gallica. Essays presented to J.H. Thomas*, Cardiff, Univ. of Wales Press, 1969,

p. 103-120 ; repris dans J. Cairncross, *L'Humanité de Molière.*

Philip F. Butler, « Tartuffe et la direction spirituelle au XVIIe siècle », *Modern Miscellany presented to E. Vinaver*, Manchester, University of Manchester Press, 1969, p. 58-64 ; repris dans *L'Humanité de Molière.*

John Cairncross, *Molière, bourgeois et libertin*, Nizet, 1963.

John Cairncross, *L'Humanité de Molière*, Nizet, 1988.

John Cairncross, « *Tartuffe* ou Molière hypocrite », *Revue d'histoire littéraire de la France*, n° 72, septembre-décembre 1972, p. 890-901.

Georges Couton, « Réflexions sur *Tartuffe* et le péché d'hypocrisie, "cas réservé" », *Revue d'histoire littéraire de la France*, n° 69, 1969, p. 404-413.

Daniela Dalla Valle, « *Tartuffe* : storia della struttura, la catena delle azioni, l'intreccio di Orgon », *Seminari Pasquali di analisi testuale*, n° 9, Pise, Edizioni ETS, 1994, p. 17-31.

Patrick Dandrey, « Tartuffe, Narcisse et la mélancolie », *Théâtre public*, n° 97, janvier-février 1991, p. 71-74.

Marc Escola, « Vrai caractère du faux dévot. Molière, La Bruyère et Auerbach », *Poétique*, n° 98, avril 1994, p. 181-198.

Gérard Ferreyrolles, *Molière. Tartuffe*, PUF, coll. « Études littéraires », 1987.

James Gaines, « *Tartuffe* et les paradoxes de la foi », *XVIIe siècle*, XLV, 1993, p. 537-549.

Thérèse Goyet, « Tartuffe parle-t-il chrétien ? Essai sur l'emploi des "termes consacrés" à la scène », *Mélanges offerts à Georges Couton*, Presses universitaires de Lyon, 1981, p. 419-441.

Jacques Guicharnaud, *Molière, une aventure théâtrale*, Gallimard, 1963, p. 17-173.

Roger Guichemerre, « *Tartuffe* ou le dépassement de la farce », *Seminari Pasquali di analisi testuale*, n° 9, Pise, Edizioni ETS, 1994, p. 65-75.

Robert Horville, « La cohérence des dénouements de *Tartuffe*, de *Dom Juan* et du *Misanthrope* », *Revue de la Société d'histoire du théâtre*, n° 3, 1974, p. 240-245.

Dominique Lanni, « De l'amour sans scandale et du plaisir sans peur ou Tartuffe en luxurieux », *La Revue française*, 2001, n° 12, p. 91-107.

Robert McBride, « Cécité et clairvoyance dans *Le Tartuffe* », *Le Nouveau Moliériste*, 1998-1999, n° IV-V, p. 323-343.

Robert McBride, *Molière et son premier Tartuffe : genèse et évolution d'une pièce à scandale*, Durham, University of Durham, 2005.

Jacques Morel, « D'Araspe à Tartuffe. Un exemple de réécriture burlesque », *L'Esprit et la lettre. Mélanges offerts à Jules Brody*, Louis Van Delft éd., Tübingen, 1991, p. 141-145.

Benedetta Papàsogli, « L'ipocrita e le techniche letterarie, o i paradossi dell'evidenza », *Seminari Pasquali di analisi testuale*, n° 9, Pise, Edizioni ETS, 1994, p. 49-64.

Richard Parish, « Tartuf(f)e ou l'imposture », *The Seventeenth Century*, V, 1990, p. 17-35.

Raymond Picard, « *Tartuffe*, "production impie" ? », *Mélanges Lebègue*, Nizet, 1969, p. 227-239.

Jacqueline Plantié, « Molière et François de Sales », *Revue d'histoire littéraire de la France*, n° 72, septembre-décembre 1972, p. 902-927.

François Rey et Jean Lacouture, *Molière et le roi : l'affaire Tartuffe*, Seuil, 2007.

Jean Rousset, « *Tartuffe* : un Molière atypique », *Seminari Pasquali di analisi testuale*, n° 9, Pise, Edizioni ETS, 1994, p. 4-15.

Jacques Scherer, *Structures de Tartuffe*, SEDES, 1974.

LEXIQUE

A

ABORD : arrivée, venue.
ABORD (D') : immédiatement ; d'emblée.
ABSOLU : tyrannique.
ADMIRER : admirer ; voir avec étonnement.
AIR : air, manière.
AMANT(E) : qui aime et est aimé(e) de.
AMUSEMENT : perte de temps.
AMUSER : (faire) perdre son temps.
ARDEUR : sentiment amoureux.

B

BAGATELLE : propos ou objet de peu d'importance.
BOURRU : extravagant.
BROCARDS : moqueries, railleries.

C

ÇÀ : ici ; allez !
CAGOT : faux dévot.
CAGOTISME, CAGOTERIE : fausse dévotion.
CARESSES : marques d'affection.
CÉANS : ici.
CHARME : pouvoir d'envoûtement.
COIFFER DE (SE) : s'enticher, s'éprendre de.
COLORÉ : fallacieux.
COMÉDIE : pièce de théâtre ; pièce comique (opposée à « tragédie »).
CONSEIL : décision.
CONTENT : satisfait.
CONTENTER : satisfaire.
COULEURS : couleurs ; raisons fallacieuses, faux prétextes.

D

DAMOISEAU : jeune homme galant.
DÉCEVOIR : tromper.
DÉCRÉTER : lancer des décrets d'arrestation.
DÉVISAGER : défigurer.
DIRECTEUR : directeur de conscience.
DOCTEUR : docteur en théologie ; homme savant.

E

ÉBAUBIE : abasourdie.
ÉLIRE : choisir.
ENNUI : tourment, souffrance.
ENTENDRE : comprendre.
EXEMPT : officier de la police du roi.
EXPLOIT : acte de saisie.

F

FAQUIN : coquin.
FEU(X) : amour.
FLAMME : amour.
FORFANTERIE : caractère hâbleur, vantardise.

G

GARÇON : valet.
GARDER : éviter.
GUEUSER : mendier.
GUEUX : mendiant ; coquin.

H

HANTER : fréquenter.
HAUTEMENT : d'une manière catégorique.
HEUR : bonheur.
HORS : dehors.
HYMEN : mariage.

HYPOCRISIE : fausse dévotion.
HYPOCRITE : faux dévot.

I

IMPOSER : tromper.
INSTANCE : action en justice.

J

JOUER : tourner en ridicule ; SE JOUER : se moquer.

L

LAS : hélas.
LIBERTIN : qui se soustrait aux pratiques religieuses.
LIBERTINAGE : manque de respect pour la religion.
LICENCE : liberté ; autorisation.

M

MAMIE : mon amie.
MATIÈRE : sujet.
MOUCHOIR : mouchoir (III, 2) ; linge garni de dentelle qui cachait ou parait la gorge des femmes (I, 2).

N

NONOBSTANT : en dépit de, malgré.

P

PARBLEU : par Dieu.
PAYER DE : prétexter ; tromper par.
PLACET : demande écrite pour obtenir justice ou solliciter une faveur.
POLITIQUE : calcul intéressé.
POLITIQUE (adj.) : calculateur.
PRÉVENIR : détourner ; devancer.
PROCÉDÉ : manière d'agir.
PRUD'HOMIE : sagesse.

Q

QUITTER : laisser, abandonner.
QUITTER LA PARTIE : céder la place.
QUITTER LA PLACE : partir, fuir.

R

RASSEOIR (SE) : reprendre ses esprits.
RESSORTS : moyens de faire avancer une action, manigances.

S

SANS DOUTE : sans aucun doute, assurément.
SOIN : souci.
SONGER : rêver.
SOT : sot ; cocu.
SOUFFRIR : supporter ; tolérer.
SOURIS : sourire.
SUBORNER : séduire.
SUIVANTE : dame de compagnie.
SUS ; OR SUS : allons.

T

TÔT : vite.
TOUR : forme.

V

VALET (« je suis votre valet ») : ironiquement, « je ne vous crois pas », ou « je ne suivrai pas votre conseil ».
VERTU : vertu (opposée à vice) ; pouvoir, efficacité ; validité.
VUIDER : vider.

Z

ZÈLE : ardeur religieuse.
ZÉLÉ(S) : dévot(s).

N° d'édition : L.01EHPN000843.A002
Dépôt légal : août 2017
Imprimé en Espagne par Novoprint (Barcelone)